봄과 여름 사이 1

일상애愛say

봄과 여름 사이 1

일상애愛say

발 행 | 2024년 5월 31일
저 자 | 김세희, 김지은, 김희배
기 획 | 손유진, 이주희
펴낸이 | 한건희
펴낸곳 | 주식회사 부크크
출판사등록 | 2014.07.15.(제2014-16호)
주 소 | 서울특별시 금천구 가산디지털1로 119 SK트윈타워 A동 305호
전 화 | 1670-8316
이메일 | info@bookk.co.kr

ISBN | 979-11-410-8701-2

www.bookk.co.kr
ⓒ 일책성장 2024

봄과 여름 사이

1

김세희, 김지은, 김희배 지음

CONTENT

이주희가 본 일상애(愛)say

초록빛 너울, 향긋한 바람, 달근한 온도에 떠 다니는 두리뭉실 뭉게구름.
5월은 그런 의미에서 내가 가장 애정하는 달이다. 좋아하면 굳이 은유하지 않아도 생각나는 단어들과 절로 표현되는 미소와 사랑으로 대변된다.

가장 사소하고 무심할 수 있는 일상에 우리는 얼마나 애정을 담으며 살아갈까. 바쁜 삶속에 일상까지 들여다 보며 보듬고 안고 살기엔 여유가 없겠지만 다른 시선으로 바라만 봐도 꽤나 의미있고 가치있는 삶의 일부이다.

아이들과의 하루가 정신없이 지나가도, 다시는 오지 않을 소중한 시간이고, 지옥같은 출퇴근길에 지친 일상도 내가 살아 숨쉬고 있음을 느낄 수 있는 삶의 한 조각 되어준다. 반복되는 일상이 무료하기도 하지만 다르게 생각해보면 나만의 작은 여유일 수도 있고 늘 먹는 음식, 늘 만나는 사람도 조금만 다른 시선으로 바라보면 정성 가득한 맛있는 음식에 세상에서 가장 감사한 사람일 수 있다.

무심히 지나쳐서 붙잡을 수 없을 만큼 빠른 시간이지만 깊은 시선으로 잠시 멈춰 바라보면 우리의 일상은 찬란하기

그지 없는 멈추고 싶은 순간들이 된다.

"사소한 것들이 늘어선 별일 없는 나날은
우리 생애 얼마나 잔잔하고 실팍한 근육인가.
매일 특별한 날을 기대하지 말라.
사는 중에 맞는 별일은 얼마나 자극적이고
통렬한 흔적을 남기던가 말이다.
어제 같은 오늘이 걸쳐진 바지랑대에 햇살이 비추고
바람이 부는 속으로 공기처럼 떠다니는 내 곁의 것들을
덤덤하게 보내고 맞이하는 나날,
그 속에서 무심히 호흡하고 웃으며 온전히 감사하는 삶,
그것이 곁에 머무는 사소한 것들에 대한 예의일 것이다.

[세상의 당신들-이수옥]

사소함을 조금 멈추어 바라보면 '그 날'의 '나'는 가장 아름
다운 시간속에서 살고있는 가장 가치로운 한 인간이 된다.
빠르게 움직이는 무채색 사람들속에 미소지으며 바라보는
유채색의 나를 발견하는 일. 그렇게 일상에 사랑을 담아 말
해보며 사는것은 어떨까? 가다서다 반복되더라도 나아가고
있음에 멋진 나를, 남들과 다른 모습과 성격, 환경에도 나름
나만의 개성이라고 인정해 주며 스스로를 토닥거리는 작은
행동으로 나를 안아보자.

나만 빼고 바라보는 시선에서 나로부터 세상을 바라보는 시선으로 바꿔보면 사랑할 것들이 참 많다. 바쁘다는 핑계로 무심히 지나치지 말자. 우린 사랑하며 살아갈 때 더욱 빛나는 삶을 살게 되니까.

일상에 대한 예의어린 시선, 너무 뜨겁지도 않고 너무 차갑지도 않은 적당하고 은은한 그녀들의 온도, 그 온도 안에서 내뿜는 찬란한 삶의 이야기를 통해 좀 더 가치롭고 소중한 일상을 담고 살아보길 바란다

인독기 북클럽 리더 쥬리

김세희

두 아이의 엄마가 명함이자 일상이다.

그리고 그림책 놀이지도사 1급을 취득하고, 그림책 놀이 선생님으로 활동하고 있다.

첫 전자책 「전업주부로 잘 살고 있습니다만」을 출간하면서 작가로 데뷔했다.

공저책 「별거 있는 책 읽기」, 「당신의 이름은 무엇인가요」, 「결국, 나는 나답게 살아간다」을 출간했다.

엄마라는 일상 속에 선생님과 작가라는 타이틀이 들어왔다.

아이와 내가 함께 공존하는 일상을 사랑한다.

김세희 일상애(愛)say

늘 떠오르는 해를 같이 맞이하는 사이

첫째를 임신한 6년 전 그날부터 둘째가 생후 24개월을 꼭
채우고도 한 달이 되어가는 지금까지 8시간 이상을 푹 자본 날이
다섯 손가락 안에 든다. 내 할 일 하느라 자는 것이 아까운 날도
있지만, 아침에 일어나 커피를 마시지 않아도 될 만큼 푹 자고
개운하게 깨는 것이 더 좋다.

"소원이야~!"라고 말해도 될 정도로 간절한 날도 있다.

　두 아이가 아직 내 몸 안에서 꼬물거리던 시절, 호르몬의 영향과
몸의 변화가 가져오는 통증에 밤을 새우는 날이 일상이었다. 그래서
우리 아이들을 보면 '그때 잠을 못 자서 잠이 없나?' 싶은 생각이
들기도 한다. 오죽하면 첫째가 이유식 하던 시절, 밥 먹으면서
조는 모습을 애타게 바랬을까!

　둘째는 첫돌을 맞이할 때까지 엄마의 모유를 먹었다. 생후 50일에
엄마부터 시작해서 아빠를 제외한 온 가족이 코로나에 걸렸을 때도
젖병을 거부하며 엄마 쭈쭈만 찾는 아이 때문에 목을 칼로 찌르는

듯한 통증을 약 없이 버텨야 했다. 쪽쪽이도 물지 않아 새벽에도 자다가 깨면 엄마 쭈쭈를 찾는 아이. 그 덕분에 나의 가슴은 밤새 옷 밖으로 나와 있어야 했다. 첫돌을 기점으로 생각보다 싱겁게 모유를 끊었지만, 그때의 습관 때문인지 아직도 새벽에 자주 깬다. 그리고 깰 때면 꼭 물을 마셔야 한다. 그러면 잘 잔다.

새벽에 2, 3번 깨는 날도, 깨지 않고 쭉 자는 날도 일어나는 시간은 어김없이 해도 뜨지 않은 새벽이다. 겨울에는 해도 늦게 떠서 아이가 깨는 소리에 일어나면 온통 어둠이다. 몇 시인지 가늠이 되지 않는다. 그리고 잠이 덜 깬 아이를 안고 토닥거리다 보면 서서히 창밖이 환해진다.

아이 영화 말고 으른 영화

　몇 년 만이지? 적어도 첫째 출산하고 나서 한 번 정도? 남편과
함께 영화를 봤던 것 같은데, 아닌 것도 같다. 둘째 출산 후에는
처음이니 적어도 2년 만에 남편과 단둘이 영화를 보러 왔다. 시간이
전혀 없었던 것은 아니다. 단지 우리의 우선순위에서 영화 보기가
많이 밀려있었던 것뿐이다. 그래서인지 오랜만에 하는 영화관
데이트는 감격이기도 했다.
　그동안 영화관을 가긴 갔었다. 첫째의 친구들과 함께 뽀로로
극장판을 보러 갔고, 첫째와 단둘이 영화를 보기도 했다. 다행히
우리는 아이의 취향을 함께 즐겼다. 이렇게라도 영화관에 가는 것에
불만은 없었다.

영화 보기 이틀 전 남편과 대수롭지 않은 일로 싸웠다. 그리고 나는 지는 것을 택했다. 남편도 썩 시원치 않은 이김이었을 것이다. 우리 사이에는 약간의 어색함이 돌고 있었다. 그렇게 불이 꺼지고 영화가 시작되었다. 영화는 공포영화는 아니었지만 내 심장을 쫄깃하게 만드는 장면들이 더러 있었고, 남편은 자연스레 내 손을 잡아주었다. 그렇게 우리의 어색함은 따뜻함으로 해소되었다. 잠시 연애 시절로 돌아간 듯한 분위기가 우리 곁을 맴돌 때쯤 영화는 끝이 났다.

핸드폰을 보니 부재중 통화가 있었다. 어린이집이었다. 전화를 달라는 문자 메시지에 불안감이 들었다. 안 그래도 등원할 때 평소보다 조금 더 울었던 터라 잘 놀고 있다는 사진을 선생님께 받아도 내심 불안했다. 아이를 데리고 집에 가야 하는 상황을 생각했는데 다행히 그건 아니었다. 잠시나마 느꼈던 연애의 감정은 전화 한 통화로 나를 현실로 돌아오게 했다.

사실 남편은 그렇지 않았겠지만, 아이들을 어린이집에 보내 놓고 우리만의 시간을 보낸다는 것에 조금의 죄책감을 느낀 적이 있었다. 집안일, 자기계발 외에 맛있는 것을 먹으러 간다던가 오늘처럼 남편과 데이트하고 있는 일상에 말이다. 마치 내가 즐기는 시간을 갖기 위해 아이들을 시설에 보냈다는 생각이 들어서다.

물론 그것이 아님을 안다. 아이들에게도 배움의 시간인 것이고, 나 또한 나만의 시간을 갖는 것이 중요하기에 한 선택이다. 어쩌면 어린이집에 적응하느라 우는 것은 아이가 아닌, 온전히 맡기지 못하는 나의 마음이 아닐까 싶다.

너희가 친해진 시간

둘째가 태어나 처음 집으로 왔을 때, 그저 살살 만지며 옆에서 바라보던 첫째. 얼마 지나지 않아 엄마의 품을 독차지한다는 것을 알았는지 부드러운 시선 대신
"나는?"을 외쳤지.

그러다 동생이 점점 자라서 혼자서 걷기도 하고, 언니의 물건을 하나, 둘씩 만지기 시작하니 살살거리던 손길은 조금 거칠게 밀쳐내기도 했네.

그리고 동생이 조금 더 자라서 뛰어다니고 공을 던지고 트램펄린을 함께 뛰니까
자연스럽게 "언니야~.", "단이야~." 서로 찾으며 엄마를 골리네?

첫째가 "엄마! 저거 뭐야?"
하고 외치며 소파 밑에 숨으면

둘째가 "엄마! 뭐야~."
하고 외치며 언니 옆에 같이 눕네.

엄마는 모른 체 하느라 새어 나오는 웃음 참느라 혼신의 연기를 하고
너희를 찾아.

엄마보다 적응이 빠른 아이

    4년 동안 다녔던 어린이집을 졸업하고 유치원이라는 새로운 공간에
발을 들인 너와 나.
등, 하원길에 버스 타는 것도 처음.
엄마와의 적응 기간 없이 기관에 홀로 발을 들이는 것도 처음.
같은 반 친구들도 아는 이 하나 없이 처음.

그런 환경인데도 너는 첫날부터 버스에서 까르르거리며 내렸었지. 물론 같은 단지에서 친하게 지낸 친구와 같은 유치원이지만 반도 끝과 끝이고 버스에서 만나는 게 전부일 텐데도 그 사실만으로도 즐거워하는 너를 보며 대견스럽기도, 대단하기도 하다. 엄마는 아직도 적응 중인데 말이다.

어린이집 다닐 때는 "빨리해!"라는 말이 나를 위한 말이었다. 집에서 뭉그적거리는 시간이 길수록 준비 시간이 길어지는 아이들이라, 밖에서 놀고 가는 일이 있어도 일단 집에서는 빨리 나가야 한다. 그렇게 나 편해지자고 아이들을 재촉했었다. 하지만, 유치원은 너를 위한 재촉이었다. 버스를 놓치면 좋아하는 친구와 함께 앉아가는 시간도 줄게 되니까. 하지만 이 또한 나를 위한 재촉이다. 버스를 놓쳐도 유치원에 갈 방법은 있으니까 말이다. 그래서 엄마는 아직 적응 중인가 보다. 너를 위한다 하면서 나를 위한 말들이 난무하니까 말이다.

그래도 엄마는 오늘도 외친다.

"빨리해!"

아빠가 너를 닮아 가는 걸까? 네가 아빠를 닮은 걸까?

요즘 남편을 보면 이제 정말 '아빠' 같다는 생각이 든다. 그전에는
'아빠 노릇'을 한다는 느낌이었는데, 이제는 뼛속까지 아빠다. 첫째는
남편을 많이 닮았다. 외모에서부터 성격까지.
그래서 "누구 딸?" 이렇게 물어보면 "아빠 딸!"이라고 답한다.
그렇게 말하지 않아도 그렇게 말하라고 한다.

남편과 나의 육아 목표는 '뭐든 말할 수 있는 부모'다. 남편은
딸들이니 그 역할은 엄마가 하라고 한다. 하지만 아이가 6살인
지금은 친구 같은 아빠기에, 사춘기가 지나도 가능하지 않을까~하는
약간의 기대와 바람이 섞인다.

아이는 아직 화장실에서 아빠를 찾는다. 그러면 아빠는 나를 쓱
본다. 엄마가 가야 하지 않겠냐는 신호이다. 그렇지만 남편이 아이와
허심탄회하게 화장실에 있는 날이 얼마나 남았을까? 생각하면 기꺼이
이 기회는 남편에게 주고 싶다. 그래서 남편의 시선을 미소로
외면한다.

　첫째가 태어나고 지인 중 95%의 사람이, 아이가 아빠를 닮았다고
했다. 5%의 사람은 "엄마의 모습도 있네~"라며 위로 아닌 위로를
해 주었다. 아이가 커가면서 내가 자주 했던 말 중 하나는 "이것도
당신이네~ 역시 아빠 딸!"이다. 당연하게 생각하고 내뱉었던
말인데 요즘은 이 말에 5%의 의문이 생겼다.

아빠가 아이를 닮아 가는 것 같다? 그것은, 그만큼 남편이 아빠로서 아이에게 맞춰 행동하고 말한다는 의미인 것 같다. 둘이 함께 인형 놀이를 하는 걸 보면 그렇게 미소와 함께 눈이 감긴다.

아… 잠시 잘 수 있겠군…

핫케이크의 마법

내가 가진 결혼의 로망은 단 하나였다. 아이들이 학교를 마치고 집에 왔을 때 간식을 직접 만들어주는 것 단 하나였다. 하지만 아직 아이들이 어려서 적어도 몇 년 후에 일이라고 생각했다.

두 아이 모두 이유식을 직접 만들어 먹였는데 내가 욕심 많은 엄마라서가 아니라 시판 이유식을 아이들이 잘 안 먹었다. 솔직히 사 먹이고 싶었는데 어쩔 수 없는 엄마표 이유식이었다. 첫째 때는 이유식 만드는 김에 간식도 만들어 먹였다. 분유 빵, 고구마 과자 등등. 그런데 밥은 엄마가 만든 걸 먹으면서 간식은 잘 안 먹었다. 간식 만드는 솜씨가 없다고 생각해서 둘째 때는 당연히 사 먹었다. 그래서 나의 결혼 로망은 더욱더 훗날의 일이라 생각했다.

아침밥을 꼭 먹어야 하는 두 아이이다. 첫째는 꼭 밥이 있어야 한다. 할머니같이. 보건소 영양 사업을 했었는데, 아침을 꼭 먹어야 한다고 토로하니 다른 집은 안 먹어서 고민이라며 좋은 거라고 하셨다. 그래서 항상 고민한다. 아침밥으로 무얼 만들어야 할까?

거창하게 차리면 먹지 않고, 매번 김과 밥만 줄 수 없으니 매일
잠들기 전 아침밥 고민이다. 그 고민의 끝에 나온 것이 핫케이크였다.
내 입맛에는 맛있는데 아이들은 알 수가 없었다. 결론은 성공이었다!
핫케이크의 단맛은 두 아이의 입맛을 사로잡았다. 문제는 너~무
사로잡았다. 아침뿐만 아니라, 저녁밥을 먹어도 찾았다. 다음 날
아침에 또 찾고 시도 때도 없이 찾는다. 덕분에 점점 핫케이크 제조
스킬이 늘어가고 있다. 드디어 엄마표 간식 제1호가 탄생한 순간이다!

졸업식이 준 나의 흑역사

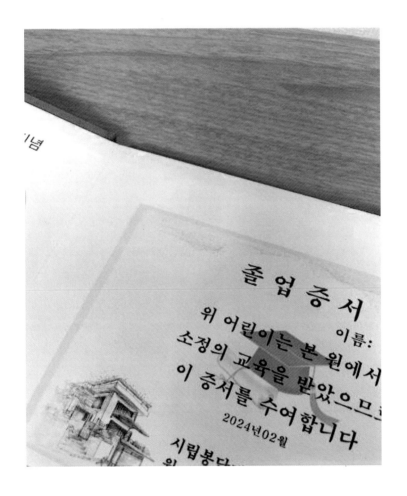

첫째의 인생 첫 졸업식.

벌써 한 달이 다 되어 간다. 그날은 아이에게는 힘든 날이었고, 나에게는 얼굴이 붉어지는 날이었다.

아이가 힘든 줄은 몰랐다. 그저 즐기는 줄 알았는데, 갑자기 졸업앨범을 찾으면서 "이날 힘들었어."라고 이야기했다. 그러면서 친구 이름을 한명 한명 부르는 것이, 그래도 친구들과 함께한 시간이 아이에게는 추억과 애정이 되었나 보다.

나는 졸업식에서 답사를 맡았다. 첫째는 졸업한 어린이집에서 0세 반부터 다녔는데, 그때부터 함께 졸업까지 한 친구가 있다. 나와 그 친구의 엄마가 답사를 맡았다.

졸업식 한 달 전 선생님이 답사 문구를 써오라고 하셨다. 어떤 이야기를 쓰면 좋을지 고민하다가 어린이집에서 성장한 아이에게 포커스를 맞춰 글을 썼다. 가능한 한 주절거리지 않게 선생님들을 만나 걷기부터 친구와 협동하는 시간까지 순탄히 올 수 있어 감사함을 전했다.

졸업식 전날 내 원고를 미리 받았다. 글이 나쁘지 않다고 생각은 했는데, 담당 선생님께서 너무 잘 쓰셨다고 하는 말에 나름 글 쓰는 사람으로서의 자부심을 느꼈다. 나중 일이지만 너무 잘 썼다는 이야기를 원장 선생님, 담임 선생님께도 들었다. 그리고 당일이 되었다.

친한 어린이집 엄마들에게 그제야 답사 사실을 알리며 울지도
모른다는 괜한 소리를 했다. 그때까지도 내가 울 거라고 생각지
않았다. 아니, 사실 직감했다. 그러니 그런 말을 대화방에 남겼지.
하지만 애써 직감을 무시하려 했다. 그 무시가 오히려 마음속을
맴돌았고 나는 부모들의 졸업 축하 영상에서 이미 눈물이 터지고
말았다. 최대한 진정해 보려 했지만, 눈물은 내 속도 모르고 자꾸
흘러댔다.

눈물을 추스르지도 못했는데 갑자기 답사 낭독 시간이 되었고, 내가
첫 타자가 되었다. 차마 얼굴을 드러내지 못하고 답사가 적혀 있는
판을 정수리까지 들었다. 첫 줄을 읽는 나의 목소리는 떨렸고 결국
넘치는 감정에 목이 메었다. 아이를 군대에 보내는 것도 아니고,
유학을 보내는 것도 아닌 어린이집 졸업식인데 이렇게까지 울
일인가? 스스로 그렇게 생각하면서도 도저히 진정되지 않았다. 몇
번을 쉬어가며 결국 마지막까지 읽어 내려갔다. 그리고 마침표를
찍자마자 나는 얼굴을 가리고 밖으로 뛰쳐나갔다. 아… 순서를
바꿀걸… 그래도 소용없었으려나? 뒤늦게 후회했다. 영상을 찍으려고
핸드폰을 들고 있던 남편은 도중에 핸드폰을 껐다고 한다.

첫째는 엄마가 운 것도 모른다.
하하… 다행이다.

3살 인생 첫 우산

　봄비가 내렸다
유치원 버스로 등원, 하원을 하는 첫째는
자기 몸보다 훨씬 큰 우산을 들고 집으로 향한다.
우리 집에 있는 유일한 유아 우산 하나.
아이들의 놀잇감이 되면서 결국 부러져버렸다.
첫째가 좋아하는 분홍색 루피 우산은 도대체 어디로 사라졌단 말인가!
그래도 어린이집에서 선물로 주었던 사자 우산으로 잘 버티고
있었는데 그마저도 벌거벗겨 재활용품 장으로 보내고 말았다.
그래! 여태 잘 버텼다!
이왕 사는 거 둘째 것까지 주문했다.
현재 우리나라에서 가장 빠른 배송으로.
첫째는 원하는 것을 고르게 하고 둘째 것도 고를 권한을 주니, 엄마는
원치 않는 공룡만 자꾸 고른다. 본인은 예쁜 핑크색 우산이면서
말이다.
그래서 엄마가 좋아하는 우산으로 몰래 주문했다.

　역시 빠르게 다음날 우리 집 현관 앞에 수줍게 두 우산이
누워있었다.

　아이들과 첫인사를 시켜주었더니 한 시간 만에 이별할 뻔했다.

어느새 커버리는 걸까? 얼마나 커버릴까…

　첫째는 올해 6살, 만으로 5살이 되었다. 1월 생이라 해가 바뀌면
바로 나이를 먹는다. 그렇게 6살이 되면서 이 아이는 많은 변화를

겪고 있다. 처음으로 다녔던 기관을 졸업하고, 두 번째인 유치원에 들어가면서 아이는 유아에서 어린이로 가는 중간 과정에 놓인 듯했다. 키도 조금 큰 것 같고(병원 가서 재보니 엄마만의 느낌이었다) 얼굴도 조금 더 어린이다워진 느낌이었다.

　무엇보다 말하는 것이 달라졌다. 그저 '아기' 같았던 아이가 자기의 주장이 세지고, 짜증도 늘었다. 그리고 주관도 더 뚜렷해졌다. 말하는 소재도 달라졌다. 5살까지는 그저 노는 것만 생각하고 노는 것만 이야기했다. 그러나 지금은 같이 유치원 다니는 남자인 친구를 언급하고, 동네 여자 친구와의 갈등도 이야기한다. 유치원에서 배운 영어를 흥얼거리고 알 수 없는 자신들만의 유행어를 말하며 깔깔깔 웃는다. 나와 남편은 그런 아이를 보며 가끔 눈을 맞추고 어이없어 웃는 요즘이다.

　시야에서 보이지만 않아도 불안했던 나날이 바로 어제인 듯한데 놀이터를 향해 쌩 가버리는 아이를 보며 조금은 시야에서 사라져도 전처럼 불안하지는 않다. 가면 아이가 있을 것을 알고, 아이가 알아서 돌아올 수 있음을 알기에. 학교에 다니기 시작하면 어찌 혼자 보내냐며 벌써 우는소리 하는 나다. 그러면 선배 엄마들은 혼자 다 한다고 '아직 멀었구먼'이란 말을 표정으로 이야기한다. 하지만 요즘 아이를 보면, 할 수 있을 것 같다는 생각이 든다.
그래, 아이는 커간다. 내가 원치 않아도 큰다. 새삼 부모의 역할을 느낀다. 아이가 클 때 옆에서 길을 잃지 않게 도와주는 부모의 역할 말이다. 아이의 변화가 낯설기도 하지만 대견스럽기도 하다. 부디 시야에서 보이지 않아도 가야 할 길을 잃지 않고 엄마가 늦어도 기다려주길 바라는 마음이다.

영어는 재밌어! 언니랑 재밌어!

아침이 된다.

여전히 밖은 아직 어둡다.

그래도 알람을 맞춰 놓은 것처럼 둘째는 엄마를 찾으며 일정한
시간에 일어난다. 아이가 컸다고 느끼는 순간이 종종 있다. 아직 한창
커야하는 유아들이니, 그 순간들이 꽤 자주 온다. 그리고 그 순간이
왔다. 아침이면 그저 엄마를 찾고 할아버지를 찾던 둘째가 어느
날부터 '언니'를 찾기 시작했다.

"언니 일어나~"하며 자는 첫째를 깨운다. 더 잤으면 싶은 날에는
깨우지 말라 말려도 소용이 없다. 결국 첫째는 눈도 뜨지 못하고
비비며 한 손은 둘째의 손을 잡고 이끌려 방에서 나온다.

첫째는 유치원 다니면서 영어에 흥미가 생겼다. 영어 노래를
흥얼거리고 유치원에서 본 영어 영상의 율동을 집에서도 몇 번이나
한다. 그럼 나는 미소를 지으며 첫째를 보다가 이내 웃음이 터지고
만다. 언니를 잠시 빤히 쳐다보던 둘째가 어김없이 언니를 따라 하기
때문이다. 엉성해 보여도 꽤 정확하게 동작을 따라 한다. 그 모습이
어찌나 귀엽고 사랑스러운지. 첫째가 율동할 때 둘째가 딴짓하고
있으면 "언니 율동한다~."하며 일부러 부르기도 한다.

밖에서 놀 때도 언니를 쫓아다닌다. 언니가 뛰면 뛰고, 오르면
올라간다. "언니야~."를 외치며 짧은 다리로 종종 뛰기도 한다. 아직
친구라는 개념이 없는 둘째에게 언니는 제일 친한 친구이다.

나의 어린 시절이
생각난다. 나도 2살 터울의
여동생이 있다. 그리고
어렸을 적 동네에서 놀 때
동생이 자주 내 꽁무니를
쫓았던 기억이 난다. 어릴
적 동생이 우리 둘째만 할
때, 그리고 내가 첫째만 할
때 동생을 씻겨주는 사진이
나의 앨범에 들어있다.

자매란 그런 건가 보다.

할아버지, 할아버지, 우리 할아버지

　우리 아이들에게는 친가, 외가 통틀어 외할아버지 한 분뿐이다.
함께 산 지 3년째, 아이들은 아침에 일어나면 "할아버지 깨워도
돼요?"부터 묻는다.

동생이 이른 나이에 먼저 결혼하고, 나와 아버지 둘이 살다가 약 7년 후 내가 결혼하고 분가하면서 아버지는 홀로 지내셨다. 나와는 걸어서 30분이 채 걸리지 않는 거리에 살고 있었지만 자주 찾아뵙지 못했다. 가끔 전화 통화를 하면 밥 잘 챙겨 먹는다던 아버지는 혼자 먹기 싫다는 이유로 집에서는 잘 챙겨 드시지 않았던 것 같다.

어느 날, 감기가 심하다며 밤에 전화가 왔기에 응급실을 가라 했는데, 결국 다음날 출근했다가 도저히 버틸 수 없다며 중간에 병원을 갔다. 병원에서는 폐렴이라 했고 아버지는 며칠 입원했다. 그런 일을 겪고 난 후, 첫째가 2살 때쯤 이사를 하면서 남편의 제안으로 아버지와 합치게 된 것이다.

아버지의 손녀 사랑은 둘째가 태어나면서 극에 달했다. 아니 그전에는 근엄한 할아버지였다면, 둘째의 탄생 이후에는 손녀 바보가 되어버렸다. 이미 동생네의 아이들인 손자, 손녀가 2명이 있고 우리 첫째가 있었는데도 신생아 때부터 안아보고 옆에서 봐온 것은 둘째가 처음이라 말하는 아버지. 그래서인지 둘째에 대한 애정이 남다르다. (둘째 말이라면 뭐든 줘야 한다⋯)

주말이면 할아버지와 함께 다섯 가족이 나들이를 간다. 예정에 없던 호수를 찾아 산책한다. 아이들은 걷기 힘들다며 투정을 부릴 때 할아버지를 찾는다. 엄마, 아빠는 일단 거절이나 회유부터 하지만 할아버지는 조건 없이 조금 좁아진 등을 내어 주신다.

너도 하고 싶었구나! 하트하트

"언니가 하트 다 모으면 장난감 사줄게!"

무슨 소리인가 하고 있는데, 첫째가 스케치북을 들고 온다. 그리고 그 안에 동그라미를 마구 그리기 시작한다. 제일 위에는 동생 이름을 적고, 동생 얼굴을 그린다. 마지막으로 가위를 들고 와서 종이를 자른다.

"이게 뭐야?"

"둘째 하트야. 언니 말 잘 듣고, 장난감 정리도 잘하고, 떼 안 쓰면 언니가 하트 줄 거야. 그리고 다 모으면 장난감 사줄게."

"(미소 지으며) 장난감은 첫째가 사 줄 거야?"

"응!"

처음에는 무슨 상황인가 했다. 첫째는 자른 종이를 냉장고에 자석으로 붙였다. 그 위에는 첫째의 하트 모으기 판(일명 칭찬스티커)이 있다. 나는 육아관에 조건부로 무엇인가 하는 것을 지양하려고 했다. 하지만 아이를 키워본 분들은 알 것이다. 그것이 아~주 어려운 일이란 것을.

결국 나는 주위 엄마들이 한다기에 따라서 칭찬스티커를 도입했다. 생각해 보니 굳이 보드며 스티커를 살 필요는 없을 것 같아, 우리는 그랬다. 그리고 스티커 대신 하트나 별 등 첫째가 원하는 색에 원하는 모양을 그려준다. 꼭 해야 하는 양치하기, 밥 잘 먹기, 이런 것은 넣지 않았다. 했으면 하는 것들, 예를 들면 한글 공부를 하면 하트를 한 개 그렸다. 가끔 첫째가 "밥 잘 먹었으니 하트 그려주세요~" 하면, "그건 원래 네가 해야 하는 일이잖아"라며 딱 자른다. 다행히 나와 남편은 이 점에서 서로 동의했다. 그런데, 가끔 협박 아닌 협박도 이

하트를 이용해서 할 때가 있다.

"아빠, 오늘 양치하기 싫어."

"그래? 그러면 하트 하나 지워야겠다."

"싫어~~~"

기본적인 거라며 해낼 때는 하트를 안 주면서, 안 하면 하트를 뺏는다니 아이입장에서는 억울할 수도 있다. 그래서인지 그 억울함을 동생에게 똑같이 하면서 푸는 것 같다… 오늘은 장난감을 가지고 놀다가 둘째가 원하는 것을 첫째가 주지 않았다. 그래서, 둘째도 첫째가 원하는 것을 주지 않았다. 그러니 첫째가 하는 말이, "언니 블록 안 줬으니까 하트 하나 지워야겠다!" 하면서, 그려달란 적 없던 하트를 하나 지워버렸다. 그걸 지켜보는 나는 그냥 마냥 그 모습이 귀엽기만 하다.

처음을 같이 하는 친구

　지금 살고 있는 아파트 단지 내에 친분 있는 엄마가 한 명 있다.
둘 다 아이 둘을 육아하고 있는데 첫째 둘째끼리 나이가 같다. 첫째들
나이야 우연히 같다고 넘어 가는데, 둘째들은 같은 해에 임신하고
출산했다. 우스갯소리로 이 아파트 단지 터가 출산의 기운이 높다
말하곤 하지만, 직접 겪으니 틀린 말은 아닌 듯하다.

바람이 불면 손발이 차디찬 겨울 막바지에 내가 먼저 출산했다. 그리고 본격적인 더위가 시작되기 직전에 그녀가 출산했다. 내가 막달일 때 그녀의 배는 이제 나오기 시작할 때라 많은 배려를 받았다. 내가 출산하고 50일이 안 되었을 때, 첫째의 등원 때문에 외출을 시작했다. 그쯤엔 그녀가 만삭의 임산부였다. 외출 길에 그녀를 만나면 이번엔 내가 그녀를 배려하려고 했다. 하지만, 출산 한 몸이라고 또 배려받았다.

그녀와 나의 나이 차는 거의 10년 차이지만 엄마라는 이름에서 매우 좋은 친구이다. 둘째의 어린이집을 정할 때, 나는 첫째가 다녔던 기관이 마음에 들어 둘째도 가능한 그곳으로 보내려고 했다. 그녀도 태어난 지 이제 6개월 된 아기지만, 둘째이기에 어린이집을 알아보고 있었고, 나는 첫째가 다녔던 기관을 추천했다. 나는 원했던 어린이집에 첫째가 다니고 있었기에 안전하게 들어갈 수 있었다.

그녀의 둘째도 앞 사람들이 포기하면서 순번이 돌아왔다. 그래서 우리의 둘째들은 같은 기관에 다니게 되었다. 이제 말이 트이기 시작하고, 친구를 알아볼 정도로 커서 이름을 불러주기 시작했다. 이 아이들은 학교까지 쭉 같이 다닐 예정이다. (이사만 가지 않는다면) 너희들의 관계가 어떻게 변할 지 엄마들은 참 궁금하다.

스스로
크는 아이

첫째는 조금 예민한 아이다. 첫째의 예민도가 엄마에게는 강인데, 다른 사람에게는 중약쯤 돼 보이는 듯하다. (사실 아이가 클수록 중약이 맞는 듯하다) 그래서, 둘째에 대한 기대가 있었다. 육아가 조금 더 쉽지는 않을까?

예정대로 태어난 둘째의 육아 난이도는 첫째보다 강강이었다. 엄마의 쭈쭈 껍딱지에 돌 전까지는 통잠의 근처에도 못 갔으니 말이다. 앞으로의 육아 난이도가 더하면 더했지, 줄어들 거란 생각은 안 했다. 그저 바라기만 했다. 그런데 예상과 다르게 둘째는 알아서 커갔다.

기는 것도, 걷는 것도, 말하기도 나는 마음먹고 아이에게 가르친 적이 없다. 아이는 눈으로 좇고 스스로 배워갔다. 물론, 롤모델은 첫째인 언니였다. 언니가 놀면 뭐하고 노나 보면서 장난감을 잡으려 기어갔다. 뛰어다니는 언니를 보며 함께 뛰고 싶어서 아장아장 걸었다. 어제는 "엄마"를 말했는데, 오늘은 "엄마, 밥!"을 외쳤다! (아, 이건 좀 비약이 심했다) 언니를 따라 그림을 끼적이고 책을 펼치고 읽는 시늉을 한다. 어린이집 하원 할 때면 "벌써 말을 하나요? 그런 것도 할 줄 알아요?"라고 묻는 다른 엄마들의 말이 싫지 않다. 물론 마음에 들지 않으면 드러눕기도 빠르다…

첫째 때는 빨리 컸으면 하는 마음이 컸는데, 둘째 때는 이 시간이 빠르게 가는 것이 아쉽다. 선배 엄마들이 하는 말이 무엇인지 이제

온몸으로 느껴진다. 스스로 커가는 아이가 고맙기도 하지만, 이대로
잠시만 멈추었으면 싶다.
아 드러눕는 건 빼고, 말이다…

  하지만 이룰 수 없는 바람인 것 같다. 언니 따라쟁이에게는 성장만
있을 뿐이리라. 오늘도 언니랑 자는 연습하라며 재워주지 않는
엄마에게 쫑알쫑알하며 절대 엄마 없이 눕지 않겠다는 의지를
보여주는 둘째. 언니랑 둘이 자는 건 빨리해 줬으면 좋겠네!

숨고, 숨는 숨바꼭질

첫째가 4살 때, 체력은 점점 좋아지는 데 비가 오거나 미세먼지가
심한 날은 나갈 수 없으니 고심 끝에 트램펄린을 구매했다. 나는
물건을(특히 부피가 크거나 비싼⋯) 구매할 때 남편의 눈치를 보는데,
이것 역시 그랬다. 일단 크기가 크니 나로서도 고민이 되었다. 하지만

집에서 맘 놓고 뛸 수 있는 공간은 이것뿐이라 생각했다. 다행히
남편은 흔쾌히 동의하였고, 우리는 봉이 없고 접을 수 있는 제품을
선택했다. 다행히 아이들은 트램펄린 밖으로 떨어진 일이 10번도
되지 않는다. (아주 경미한) 그리고 매트 위에 놓으니 조금은 안심이
되기도 했다. 아이들도 떨어지지 않으려 나름 노력할 테니 신체 조절
능력도 향상…. 을 바란다.

　이런 고마운 트램펄린을 버릴지 생각했던 적도 있었다. 확실히
공간을 많이 차지하기 때문이다. 쓰지 않을 때는 여기저기에 굴려
놓다가 결국 거실 한구석을 내주었다. 아이들이 놀 때는 눕는
트램펄린. 쉴 때는 서있는 트램펄린. 그런데 요즘은 쉬지도 못하는
트램펄린이다. 아이들은 검은색 망 뒤에 숨는 것을 좋아한다. 뭐가
좋다고 둘이 같이 들어가서 까르르거린다.

　때론 그 뒤에서 힘겨루기할 때도 있다. 그러면 트램펄린이 넘어질지
마음이 조마조마하다. 둘째가 커가면서 함께 노는 재미를 알아가는
아이들. 그와 동반한 위험은 엄마의 심장을 쫄깃하게 만들지만, 그저
지켜보자면 나도 까르르 웃고 마는 일상이다.

언제, 이렇게, 자연스러워졌을까?

　언제부터였더라…. 잘 기억은 나지 않지만, 언제부터인가 첫째의
사진 찍는 포즈가 예사롭지 않았다. 그때부터 아이는 사진 찍는
재미를 알아가는 듯했다.

　첫째가 사진 찍는 재미를 알아갈 때쯤 둘째는 엄마를 날렵한
사진기사로 만들었다. 순간 포착을 하지 않으면 괜찮은 투 샷을
얻기란 쉽지 않았기 때문이다. 둘째가 신생아 때는 함께 누워있기만
해도 꽤 그럴싸한 투 샷이 완성되었는데 말이다.
그런데 요즘 나는 사진 찍는 재미가 늘었다.

"잠깐! 거기 서봐~ 자 김치~ 하트~"
괜찮은 포인트가 있어서 첫째를 불러 세운다.
그러면 자연스럽게 그 옆에 둘째가 서 있다.
그리고 언니와 함께 포즈를 취한다. 나의 입가엔 미소가 지어진다.
이러니~ 사진 찍는 재미가 늘어갈 수밖에!

　때로는 아이들이 먼저 요구한다. "엄마! 나 여기서 사진 찍어 줘~"
아이들이(심지어 둘째도!) 이런 말을 할 때면 새삼 컸다는 것을 새삼
실감한다. 첫째가 딸이었으니 둘째는 아들을 바랐던 적이 있다. 나는
자매라 오빠의 듬직함을 동경했다. 요즘에는 자매가 참 좋다는 것을

느낀다.

어린 자매를 보며 나이 든 자매의 소중함을 떠올린다.

어린이집 숙제? 엄마의 숙제!

첫째가 다녔던 어린이집은 참 숙제가 많았다. 무슨 어린이집에서 아이들에게 숙제를 내주냐고? 아이들이 아니다. 결국은 엄마의 숙제이다.

두 아이는 같은 어린이집을 다녔고, 지금은 둘째만 다니고 있다. 첫째가 너무 잘 다녔기에 둘째는 따지지도 않고 같은 어린이집으로 보냈다.

어린이집은 아이들의 식습관을 위해 채소 먹는 숙제를 많이 내주었다. 어린이집에서는 아이들이 직접 기르며 식물이 자라는 모습도 보고 먹거리의 소중함과 감사함을 느끼는 아주 중요한 교육이라 생각한다. 그래서 관련 행사도 많이 열어 주신다.

하원길에 아이와 함께 기른 거라며 새싹을 주셨다. 함께 탐색해 보고 요리해 먹어보라는 숙제를 받았다. 이제 엄마의 외로운 숙제가 시작되었다!
숙제 검사는 어린이집 네이버 카페에 올리는 것으로 한다.

즉, 다른 학부모들도 볼 수 있다는 이야기다. 이왕이면, 다른 사람은 하지 않았고 잘했다는 칭찬을 듣고 싶은 마음에 메뉴 선정에 매우 많은 고심을 한다. 하지만 결국은 항상 늘 하던 메뉴로 결정된다.

이번 새싹 요리는 샌드위치로 정했다. 속에 감추면 아이도 의심 없이 먹을 거란 계산으로 정한 메뉴였다. 그리고 무엇보다 만들기가 쉬웠다.

새싹 때문이 아닌, 다른 부재료의 맛으로 생각보다 잘
먹어주었다. 그 모습을 얼른 사진으로 남겼다. 아이는 결국 다
먹지는 않았기에 얼른 찍어 남기기를 잘했다는 생각했다.
그리고 숙제를 카페에 올렸다. 선생님들 외의 댓글은 없지만 조회수가
생각보다 많으면 '아, 이번 숙제는 점수가 괜찮군' 하며 스스로
자화자찬한다.

아이를 키우면서 엄마, 아빠도 커간다는 말은 누가 만들었는지 정말
맞는 말만 한다. 아이를 임신하면서 지금까지 나는 너무나도 많게
성장했다. 요리 숙제는 아이들 아니었으면 내 인생에 없었을 것이다.
앞으로도 많은 숙제가 기다리고 있지만, 이런 숙제라면 기꺼이 즐거운
마음으로 임할 준비가 되어있다. 그래도, 너무 자주는 내주지
않았으면 하는 바람이다.

혼자 할 수 있는 것이 많아질 나이

어린이집에서 유치원으로 옮겼을 뿐인데, 아이는 갑자기 훅 커버린 느낌이다. 그저 아이답게 자유롭게 놀기만 했던 아인데, 유치원에 들어가니 해야 할 것들이 많아졌다.

영어, 수학, 코딩, 요가, 농구 등등 새로 접하는 수업들이 생겼다. 물론 아이에게는 이마저 놀이일 수 있지만 6살부터 학교 초읽기를 하는 느낌이다. 그리고 유치원에서는 더욱 아이가 스스로 하는 것을 원했고 그렇게 할 수 있게 독려해 주었다. 그중 하나가 배지 시스템인데, 미션을 완료하면 배지 하나를 받을 수 있다. 같은 유치원에 다니는 엄마는 이런 거 있으면 다 모아야 한다며 아이의 가방에 10개 넘는 배지가 달려있었다.

집에서 아이가 할 수 있는 일들은 가끔 하게 해보았지만, 정말 가끔이었다. 그마저도 아이가 어떤 목적이 있지 않거나, 기분이 좋아 엄마를 도와주고 싶은 날이 아니면 하지 않았다. 그러다 '가족에게 도움주기' 배지를 받기 위해 엄마의 빨래를 도와주는 아이를 보니, 어느새 빨래 개는 실력이 부쩍 늘어있었다. 아이의 성취감을 위해 아이가 빨래를 개면 건들지 않았다가 넣으러 갈 때 몰래 다시 개어놓고는 했다. 그런데 이번에는 내가 다시 건들 필요가 없었다. 진심으로 감탄했다.

아이가 하원하고 함께 집에 오면서 현관 번호를 자신이 누르겠다며 까치발을 드는 모습을 보았다. 아이의 키가 까치발만 하고서 키패드에

닿는다는 사실에 한번 놀라고, 번호를 외웠다는 사실에 두 번 놀랐다.
그리고 스스로 현관문을 열었다는 사실에 또 한 번 놀랐다.
그저 유치원에 갔을 뿐인데, 아이는 금방이라도 학교에 입학할 것
같은 느낌이었다. 그러면 나는 또 졸업식과 입학식에서 질질 짜며
울겠지.

아이는 샤워도 가끔 스스로 한다. 물론 완벽하지 못하다. 양치처럼
마무리는 부모가 해주어야 하지만, 그것만으로도 대견하고 대단한
거로 생각한다. 그래도 여전히 "엄마, 해줘~"를 외치는 아기이다.

다자녀 그리고 경로우대

우리 가족은 한 번 움직이면 5명이 움직인다. 할아버지, 아빠, 엄마 그리고 두 아이. 여기엔 좋은 점도 있지만, 좋지 않은 점도 있다. 일단 어른 보호자가 3명이니 여유가 있다. 주로 첫째는 아빠가 둘째는 할아버지가 맡는다. 그리고 엄마는 상황을 보며 교체해 주던가, 그 외에 간식 사 오기, 식당 예약하기 등의 일을 맡는다. 만약 할아버지가 함께 가지 않으신다면 나는 둘째를 챙기면서 그 외의 것들을 해내야 했을 것이다.

나들이의 목적지는 아무래도 아이들에게 맞춰 정해지지만, 어른도 충분히 즐길만한 곳들이 많다. 특히 자연이나 역사와 관련된 곳이면 할아버지는 어느샌가 사라져서 혼자만의 시간을 갖기도 하신다. 차로 이동할 때도 내가 앞자리에서 필요한 것을 제공하면 뒷자리의 할아버지가 그것을 받아 아이들을 서포트해 주신다. 이렇게 적고 보니 아빠보다는 할아버지와의 협력이 많은 것 같다. 아빠는 4명이 나들이 가던, 5명이 가던 그 역할이 같기 때문일지도 모르겠다. 운전하고, 첫째 챙기고. 이것이 아빠의 고정적인 임무이기 때문이다.

봄이 완연한 어느 날 시립 수목원으로 나들이를 갔다. 5명이 함께 나들이를 안 좋은 점이 한 가지 있다. 비용이 늘어난다는 것이다. 아무래도 성인 한 명 몫이 늘어나는 것이니 그 금액이 적지는 않다.

수목원을 갔을 때, 시민 할인과 둘째가 36개월 미만이란 점을 생각하며 티켓을 끊었다. 그런데, 다자녀라 최대 4명 무료입장이 가능하다는 것이다. 그리고 할아버지는 65세 이상 경로우대로 역시 무료입장이 가능하다 했다. 우리 앞에서 3명의 가족이 만 얼마의 입장권을 구매한 것을 생각하니 엄청난 혜택을 받은 기분이었다.

작년부터 내가 거주하는 시는 2명부터 다자녀 혜택을 주었고, 나는 얼른 등록했다. 로컬마켓에서의 적립률이 늘어나 적립금 쓰는 재미로 다자녀 혜택을 보았는데, 이럴 때는 역시 한 명보다는 두 명! 이라는 생각이 든다. 남편에게 둘째도 갖자고 계속 이야기한 보람이 있다. 하지만 이 일로 또 하나 새삼 깨달은 것이 있다.

할아버지, 나의 아버지는 점점 나이를 먹고 있다는 것. 다자녀 혜택은 마냥 기쁜데, 경로우대는 마냥 기뻐할 수가 없다. 괜히 씁쓸한 기분이 든다.

너의 시선

모든 아이가 그렇듯, 사진 찍는 것에 참 관심이 많을 나이이다. 둘째는 내가 사진을 찍기만 하면 "나도나도~"를 외치며 핸드폰을 홱 가져가 버린다. 첫째도 이맘때쯤 이랬지. 뭐 할 줄 알겠냐 생각하며 가져가는 대로 놔두었다. 그래도 제법 시늉은 잘 내어 여기저기 카메라를 들이대며 "차알칵~ 차알칵~" 입으로 수동 셔터를 누른다. 그러면 나는 보이지 않는 손이 되어 대신 진짜 셔터를 눌러주고는 한다. 그냥 아무렇게나 사진기(정확히는 사진 찍는 엄마 핸드폰!)를 들이대는 것 같지만, 그 결과물을 보면 아이의 시선은 참 신선하다. 그렇게 찍힌 사진을 통해 아이의 시선을 알 때면 나중에 아이가 스스로 찍는 사진에 기대가 된다. 엄마들이 하는 "우리 아이가 천재예요!"를 나는 사진을 보며 외치게 되는 기분이랄까?

어느 날, 장난칠 요량으로 셀카 모드로 돌려주었다. 핸드폰에 비치는 자기 얼굴을 보며 까르르 웃는 아이. 일부러 포즈를 잡지 않아도, 모든 사진이 예쁜 셀카가 되는 아이들. 그래서 나의 보이지 않는 셔터는 마구잡이로 셔터를 누른다.
이 중의 하나는 건지겠지~ 하는 마음으로. 그러면 어김없이 그래도 한, 두 장은 마음에 드는 사진이 나온다.

첫째는 이제 셀카도 마구잡이로 찍지 않는다. 나름의 포즈와 계산이 들어있기는 하다. 다만 핸드폰의 시선이 이상하게 아이의 턱에 가 있을 뿐이다. 이런 사진들을 보면 절대 한, 두 장이 아니다. 적어도

2~30장은 아주 미세한 각도 차가 있는 사진들이 핸드폰 갤러리 안에 들어가 있다. 그것을 정리하는 것은 나의 몫이다.

아이들이 커갈수록 사진은 풍성해지고, 소중한 추억들이 점점 늘어난다. 나는 어렸을 적 가족과 함께 찍은 사진이 많지 않았다.

그래서 지금, 이 순간들을 많이 남기고 싶은 욕심이 있다.
이 욕심은 아이들의 시선까지도 포함해서 말이다.

가방이 그렇게 좋아?

아이가 둘이던, 셋이던 그 아이들은 다 다르다고 한다. 나도 둘을 키워 보니 매일 느낀다. 어쩜 같은 배에서 나왔는데 이리 다를까. 물론 100%는 아니다.

첫째는 가방을 메는 것을 좋아하지 않았다. 3살 때 처음으로 가방을 메어주니, 아이의 반을 차지하는 가방을 생각보다 잘 메고 있어서 감격했었다. 첫째는 모든 것이 감동이었다. 그때는 아이가 마냥 작고 여려 보여 가방을 메는 모습을 많이 보고 싶었지만, 행여 넘어질까 자주 그러지 못했다. 아이도 그다지 원하지 않았다.

이런 아이가 유치원에 들어가니 꼬박꼬박 자기 가방을 아주 잘 멘다. 아마 다른 친구들도 다 메고 다니기에 그럴 것이다. 어린이집은 나이대가 어리기도 하니 꼭 메야 하는 분위기가 아니다. 이쯤 되어 생각해 보니 환경이 정말 중요하다는 것을 새삼 느끼게 된다.

둘째는 가방 메는 것을 좋아한다. 둘째 역시 그 작은 몸으로
자신의 2/3를 차지하는 가방을 멨다. 첫째는 감동이었다면 둘째는
흐뭇함이었다. 그저 그 모습이 마냥 귀여웠다. 역시 무거울 것 같아,
가방을 빼려고 하면 본인이 메겠다며 난리를 친다. 처음에는 가방
메는 것이 새로운 것이니 그런가 싶었는데, 지금은 그걸 좋아하는 게
확실한 듯하다. 놀이터에서 놀 때에도 분명 무겁고 방해가 될 텐데 꼭
가방과 함께 놀이한다. 집에 가서도 벗지 않고 놀 때가 많다. 나중에

군인이라도 되려나, 벌써 군장 차는 훈련하는 기분이다.

　그러고 보니 첫째도 유치원을 다닌 후로, 가방을 잘 벗지 않는다. 놀이터에서도 꼭 메고 논다. 첫째는 5살 무렵부터 놀이터에서 유치원 놀이한다며, 가방을 메고 놀았다. 그런데 요즘에는 그 놀이를 하지 않아도 가방을 메고 논다. 물론 둘째의 가방보다 무게가 반의반도 안 된다. 하지만, 집에 오자마자 허물 벗듯이 가방을 현관 바닥에 내팽개친다. 아이들의 변화무쌍한 모습들을 바라보는 것이 재미도 있지만, 열이 오르기도 하는 순간들이다.

6살의 눈으로 본 아빠, 엄마

첫째의 그림 실력이 한순간에 올라간 순간은 친구들과 미술학원을
다니면서부터이다. 그전에는 솔직히 사람이라 볼 수 없는 형상들이었
는데, 미술학원을 다니면서 팔, 다리가 생기기 시작했다. 잘 그린다고

말할 수는 없지만, 점점 아이의 개성 따라 그림이 진화하고 있다.

엄마 눈에는 똑같아 보이는 그림인데, 아이 눈에는 이건 친구1이고 저건 친구2이다.

여느 날처럼 아이가 유치원을 다녀온 후, 가방 정리를 하는데 어김없이 유치원에서 그린 그림이 나왔다. 드레스를 입은 여자아이 두 명이었다.

아이에게 네가 그린 거냐며 물어보니, 한 명은 자기이고 한 명은 엄마라고 한다. 아이가 엄마라고 그림을 그린 것은 처음이었다. 거기에 드레스라니!!

그 이후로 아이는 더 자주 엄마와 아빠를 그렸다. 아이의 눈에 아빠는 수염도 있고, 머리카락이 있다. 아빠는 주로 얼굴 쪽에 신경을 많이 쓴다. 반면 엄마는 아이의 같은 또래의 모습으로 그린다. 머리에는 리본이 달려있고 때로는 원피스, 때로는 드레스를 입혀준다.

우리는 첫째는 아빠가 전담하며 친구 같은 아빠라고 생각했는데, 그림에서의 아빠는 어른이었다. 반면 자주 화내는 나는 친구 같은 엄마였다. 그림을 보며 남편 몰래 뿌듯했다.

5년 만에 꽃 데이트

봄이다.

온 거리에 노랑, 분홍, 하얀 꽃눈이 휘날린다.

6년 차 신혼부부는 봄이 오면 '이제 좀 덜 춥겠구나, 곧
더워지겠구나'를 걱정한다. 봄이 되면 아이들은 새로운 환경에
적응해야 하고, 아이들과 함께 나도 적응해야 한다.

그렇게 봄은 즐길 틈 없이 지나가는 계절이었다.

평일에 책 모임이 있던 날, 처음으로 조금 먼 곳에서 모임을 했다.

모임원들과 함께 차를 타고 가면서 흩날리는 꽃잎을 보며 다 같이
설렜다. 새로운 장소에서 나들이 같은 책 모임을 하니 기분이 들떴다.
그리고 남편이 데리러 왔다. 다른 분들보다 먼저 일어서니, 남편과 꽃
보고 가라는 이야기를 들었다. 나는 "에이~ 그냥 집으로 갈 걸요?"
웃으며 얘기했다. 그리고 남편과 차에서 이런저런 이야기하며 가는데
낯선 골목으로 들어서는 남편 차. 내가 모르는 길이겠거니 했는데, 내
눈앞에 펼쳐진 풍경은 꽃이 흩날리는 봄날의 풍경이었다. 결혼 6년
차, 아직 신혼이라면 신혼인데 이런 순간에 감탄하는 것이 왜 이렇게
어색한지. 남편에게 좋다, 고맙다는 표현 하나 제대로 못 하고 그냥
"오오~~~"하며 손가락질했다.

서로 사진도 찍어주며 느긋이 길을 걸었다.

모임원들과 함께 차를 타고 가면서 흩날리는 꽃잎을 보며 다 같이 설렜다. 새로운 장소에서 나들이 같은 책 모임을 하니 기분이 들떴다. 그리고 남편이 데리러 왔다. 다른 분들보다 먼저 일어서니, 남편과 꽃 보고 가라는 이야기를 들었다. 나는 "에이~ 그냥 집으로 갈 걸요?" 웃으며 얘기했다. 그리고 남편과 차에서 이런저런 이야기하며 가는데 낯선 골목으로 들어서는 남편 차. 내가 모르는 길이겠거니 했는데, 내 눈앞에 펼쳐진 풍경은 꽃이 흩날리는 봄날의 풍경이었다. 결혼 6년 차, 아직 신혼이라면 신혼인데 이런 순간에 감탄하는 것이 왜 이렇게 어색한지. 남편에게 좋다, 고맙다는 표현 하나 제대로 못 하고 그냥 "오오~~~"하며 손가락질했다.

서로 사진도 찍어주며 느긋이 길을 걸었다.

아픈 아이는 자란다

　생후 50일에 코로나에 걸렸던 둘째. 하루 정도 열이 난 이후로
아무런 증상이 없어 정말 다행이라고 생각했다. 그리고 생후
12개월쯤 겪는 돌치레도 생각보다 심하지 않게 넘어갔다. 그랬던
둘째가 감기에 걸렸다. 감기를 달고 살아 약을 먹고 있는 와중인데도
증세가 심해져 결국 어린이집도 며칠 동안 가지 못했다. 열이 나도,
식욕은 잃지 않았던 아인데 밥양이 너무 줄었다. 아이가 잘 먹지
못하면 그것만으로도 엄마의 걱정은 크다.

그렇게 며칠 앓고 나니 어느 순간 아이의 다리가 길어져 있었다.
머리 높이가 조금 더 높아져 있었다. 무엇보다 할 수 있는 말이
많아졌다. 아픈 만큼 성숙한 거다, 아프면서 크는 거라는 말은
어른들에게도 해당하지만, 아이들만큼 와닿지는 못할 것이다. 아픈 후
아이는 한층 성장해 있었고, 엄마는 아프지 않음에 한숨을 쉬었다.

아플 때 다행인 점이 하나 있다. 둘째는 병원을 무서워하지
않는다. 주사를 맞을 때도 바늘이 들어가는 그 순간만 울지 말지
고민한다. 요즘에 즐겨하는 놀이가 의사 선생님 놀이다. 돌잡이 때
청진기를 잡은 것은 첫째인데, 오히려 그 길을 가는 건 둘째가
아닐지(사실 너무 빠른 판단은 아닌지!) 남몰래 상상해 본다.
뭐가 되었든 그래도 아프지는 않았으면.

김지은

결혼 3년 차 전업주부. 결혼 1년 차에 루푸스 신염이라는 희귀 난치성 질환을 진단받고 직장 퇴사 후 전업주부로 전향하게 되었다.
갑작스럽게 변화된 일상에 잠시 방향을 잃고 방황했으나 소중한 오늘의 일상을 들여다보고 기억하고자 글을 쓰게 되었다.

김지은 일상애(愛)say

봄은 반드시 온다
소중한 나의 봄

강진 서부 해당화 봄꽃 축제

 남편이 요즘 뜨는 꽃구경 명소라며 사진을 한 장 보여주었다. 어느 유명 인플루언서가 형형색색의 아름다운 꽃들이 활짝 만개한 꽃길에서 예쁜 봄나들이 옷을 차려입고 해사하게 웃고 있는 사진이었다. 꽃구경에 누구보다 진심인 나의 이목을 끌기 충분했다. 그런데 이게 웬일. 가는 날이 장날이라고 올해 처음 축제가 열린단다. 주차를 할 수 있을지 가기 전부터 잔뜩 겁이 났지만 그래도 가기로 마음먹었다. 꽃이 진 것도 아니고, 비가 오는 것도 아니며, 무려 아직 축제 기간인데 그 기간에 맞춰서 우리가 꽃을 보러 갈 기회도 흔치 않기 때문이다.

 이곳은 남미륵사라는 절인 데 법흥 스님께서 44년간 황무지 땅에 꽃과 나무를 심어 이렇게 가꾸고 계신다고 한다. 구경하는 곳곳에 꽃과 나무를 만지지 않도록 관리자분들이 제지하기도 했다. 사진 속 풍경은 꽃과 나무가 훼손되지 않도록 일반인들의 출입을 통제해놓은 곳이다. 스님께서 얼마나 지극정성으로 꽃과 나무를 가꾸시고 아끼시는지 알 수 있었다. 아마 이곳을 통제하지 않았다면 이렇게 예쁜 풍경을 감상하지는 못했을 것이다. 눈으로만 감상하기엔 너무 아까운 풍경이라 멀리서나마 카메라에 사진을 담아본다.

 관광객 중에 부모님을 모시고 온 가족들이 특히 많았는데 꽃구경을 하며 누구보다 꽃을 좋아하는 친정엄마와 시어머님 생각이 많이 났다. 친정 부모님이나 시부모님과 함께 왔다면 정말 좋아하셨겠다는 생각이 들었다. 나중에 기회가 된다면 꼭 같이 다시 와야겠다. 코로나 전엔 무조건 여행 기회만 생기면 해외로 나가고 싶었는데 먼 곳만 바라보던 눈을 국내로 돌리니 우리나라에도 이렇게 아름다운 명소들이 참 많다는 걸 새삼 깨닫게 된다. 앞으로도 더 많은 국내 곳곳을 여행하며 눈과 마음에 담아야겠다.

나를 위한 건강 식단

　일 년 전 내가 앓고 있는 루푸스라는 자가면역질환이 아군을 적군으로 잘못 인식하여 콩팥을 공격했다. 신장조직검사 결과 루푸스 신염(신장염) 진단을 받았다. 대학병원 담당 교수님께서 단백뇨 수치가 매우 높아 식단 관리를 철저히 해야 한다고 하셨다. 평소 요리를 잘하지도 못하고 먹는 것을 그다지 중요시 여기며 살지 못했던 편인데 앞으로 어떻게 밥을 챙겨 먹어야 할지 눈앞이 캄캄했다.

그런데 먹는 것에 크게 제지하지 않는 교수님께서 평소와는 다르게 단호하게 식단 관리를 해야 한다고 말씀하시는 모습을 보며 마음을 굳게 다잡았다. 어떻게 하면 내가 식단을 잘 관리할 수 있을까 고민했다. 매일 식단을 사진으로 찍어서 블로그에 기록을 남겨보면 어떨까 하는 생각이 들었다. 누군가에게 자랑하기 위한 사진이 아닌, 온전히 나를 위한 기록용이었다. 보기에 좋은 떡이 먹기도 좋다고 먹을 양만큼 덜어서 색깔별로 예쁜 찬그릇에 담고 최대한 예쁘게 사진도 찍어보았다. 그래야 한 끼에 채소 등을 얼마나 섭취하는지 알 수 있다. 이렇게 하지 않으면 손도 대지 않을 걸 알고 있기 때문이다. 요리에 서툰 편이라 근사한 한 상을 차려 먹지는 못하지만 적어도 나에게 떳떳한 식사를 하자고 다짐했다. 난생처음 해보는 식단이라 많이 힘들었지만 갈수록 적응되었다.

내 간절한 노력을 알아주신 덕분인지 다행히 지금은 수치가 호전되어 단백뇨는 없지만, 몸이 더 나빠지지 않도록 꾸준히 관리하기 위해 노력하고 있다. 습관이 몸에 배 여전히 찬그릇에 반찬을 먹을 만큼 덜어 먹는다. 오늘 식단도 나름 나쁘지 않은 듯하다. 두부도 먹고 고사리도 먹고 브로콜리도 꼭꼭 씹어먹어 본다. 사실 병을 진단받기 전엔 거들떠보지도 않던 반찬들이다. 냉장고 안에서 오랜 시간 자리하며 오늘은 넘기지 말고 꼭 먹어줘! 라고 울부짖던 유통기한 임박한 두부를 드디어 해치워 뿌듯하다.

딸 없인 전기차도 못 타겠네

　아빠가 갑자기 전기차를 샀다. 엄마와 함께 점심도 먹고 아빠 차를 구경하기로 했다. 친정집에서 점심을 먹고 엄마와 막 수다를 떨기 시작했을 무렵 아빠에게 전화가 걸려왔다. "지하 주차장으로 내려와. 차 구경시켜줄게." 들뜬 마음으로 엄마와 함께 서둘러 주차장으로 내려갔다.

"지은아, 이리 좀 와봐. 이거 어떻게 충전하는 거냐?" 아빠는 전기차 충전소 앞에서 앱에 어떻게 연동시켜야 할지 몰라 버벅대고 계셨다. 나도 전기차는 처음이라 약간 당황했다. 사용법을 찬찬히 보고 그대로 따라 했다. 앱 회원가입 후 모바일 결제 카드를 등록하고 충전기에 카드를 태그한 후 충전을 시켜봤다. 된다. 몇 번의 시도 끝에 다행히 성공했다. 뿌듯하다.

나중에 아이디를 까먹고 서로 옥신각신 다투지 않도록 아빠 휴대전화 메모장에 앱의 로그인 정보를 입력해두는 것도 잊지 않았다. 옆에서 아빠와 함께 휴대전화를 뚫어지게 바라보며 집중하고 있는 모습을 가만히 지켜보던 엄마가 한마디 하셨다. "딸 없인 전기차도 못 타겠네." 혹시나 그 말을 듣고 아빠가 민망해하시지 않도록 나도 한마디 거들었다. "이거 뭐가 이렇게 복잡하대~ 나도 이렇게 어려운데 어른들이 이런 걸 어떻게 하겠어. 요새는 뭘 다 스마트폰으로 하게끔 만들어놔서 번거롭네~." 엄마는 이제 차도 함부로 못 바꾸겠다고 혀를 차셨다.

문득 딸 없이는 이런 것조차 쉽게 하지 못하겠다는 엄마의 말에 서글퍼졌다. 부모님 근처에 살고 있어서 이렇게 자주 얼굴을 보며 도움이 필요할 때 조금이나마 도움이 될 수 있어서 얼마나 다행인지 모른다. 앞으로도 오랫동안 부모님 곁에서 아주 사소한 것일지라도 그게 무엇이든 도와드릴 수 있었으면 좋겠다.

온전히 나를 위한 시간

　카페인의 영향을 많이 받는 편이다. 원래도 잘 마시지 못하지만 내가 앓고 있는 질환이 신장을 침범했다는 것을 알게 된 이후로는 카페인을 끊기로 했다. 그렇다고 매일 하루에 한 잔 이상 필수로 수혈하던 커피를 아예 끊는 일은 여간 쉽지 않았다. 점심을 먹고 나면 어딘지 모르게 허전함이 느껴졌다. 습관이란 참 무섭다. 인터넷으로 디카페인 커피를 주문했다. 요즘엔 나처럼 카페인 섭취에 민감한 사람들을 위해 시중에 다양한 디카페인 커피들이 많으니 얼마나 감사한지 모른다.

점심을 든든하게 챙겨 먹고 거실 한 가운데 놓여있는 탁자에 얼마 전 구매한 푹신한 쿨 방석을 깐 뒤 아빠 다리를 하고 앉아본다. 직장을 다닐 때는 고요한 새벽이 되어서야 조금이나마 나만의 시간을 마주할 수 있었다. 그런데 지금은 이런 환한 낮에도 나만의 시간을 가질 수 있으니 얼마나 행복한지 모른다.

즐겨듣는 마음이 편안해지는 유튜브 음악을 재생해본다. 평화롭고 고요한 자연 속에서 새 지저귀는 소리와 피아노 반주 소리가 들려온다. 음악을 들으며 아직 식지 않은 따뜻한 디카페인 커피를 한 모금 홀짝- 마셔본다. 비록 디카페인이지만, 커피 맛은 잘 모르지만 오늘따라 커피 맛이 아주 좋다. 책도 술술 읽힐 것만 같은 기분이다. 그 누구도 나를 방해하지 않는 온전히 나를 위한 나만의 시간이다.

디카페인 크림 라떼

    우리 부부는 카페에서 책 읽는 것을 좋아한다. 다소 정적인, 비슷한 성향의 우리 부부는 특별한 일정이 없는 주말이면 종종 카페에 들러 책을 읽는다. 신상 카페 방문하는 것을 좋아하는 남편의 취향을 고려해 자주 새로운 곳을 검색하여 방문하곤 한다. 단점은 매번 복불복이라는 것. 커피가 맛있으면 책을 읽기에 적당한 분위기가 아니었고, 분위기가 맘에 쏙 드는 카페는 디카페인 커피가 없어 아쉬웠다. 취향에 딱 맞는 카페를 발견하기란 쉽지 않았다.

"집에서 좀 거리가 있긴 한데 여긴 어때? 여기 디카페인 커피도 있고 커피 맛집이래."

결과는 합격. 내 취향을 모두 적중했다. 책 읽기 좋은 조용한 분위기에 디카페인 커피도 있다. 심지어 크림 라떼를 디카페인으로 즐길 수 있다니. 카페인에 민감한 편이라 카페인을 되도록 먹지 않으려 하지만 가끔은 달달한 라떼를 마시며 기분 전환하고 싶을 때가 있다. 오랜만에 마음에 쏙 드는 카페를 발견하여 기쁘다. 집에서 좀 거리가 있으나 한동안 우리의 아지트가 될 것 같은 좋은 예감이 든다.

콩알만 한 초승달

　도서관에만 가면 그 어느 때보다 시간이 빠르게 흐른다. 2주 만
에 5권을 다 읽지 못하고 다시 반납하지만, 매번 심각한 고민에
빠진다. 책을 이것저것 빌려보고 싶지만, 대출 가능한 권수는 한정
되어 있기에 고심 또 고심하여 겨우 7권을 챙겨 책상에 앉았다.

이제 이 7권을 찬찬히 훑어보며 책이 잘 읽히고 완독해보고 싶은 책 5권을 다시 추려야 한다. 책을 둘러보다 보니 어느덧 뉘엿뉘엿 해가 지고 있다. 벌써 집에 가서 저녁을 준비해야 할 시간이다. 고심 끝에 고른 5권을 챙겨 도서관을 나섰다.

제법 공기가 차가워졌다. 더 늦어지기 전에 서둘러 운전하여 집으로 되돌아간다. 하늘을 올려다보니 저 멀리 조그맣게 콩알만 한 귀여운 초승달이 보인다. 달이 선명하게 잘 보이지 않아 인상을 구기고 눈을 게슴츠레 떠본다. 누가 꼭 그림이라도 그려놓은 듯 저 귀여운 초승달을 휴대전화에 담아보겠다고 몇 번이고 엄지와 검지를 움직여 확대해본다. 몇 번의 노력 끝에 나름 만족스러운 사진이 담겼다. 사진의 구도는 잘 모르겠지만 내가 만족스러우면 됐다. 이 선선한 저녁 공기와 하늘에 뜬 초승달이 오늘 하루도 수고했다고 말해주는 듯하다. 도서관에 들러 책도 읽고 예쁜 하늘을 휴대전화에 담아 뿌듯하다. 오늘 하루도 만족스럽다.

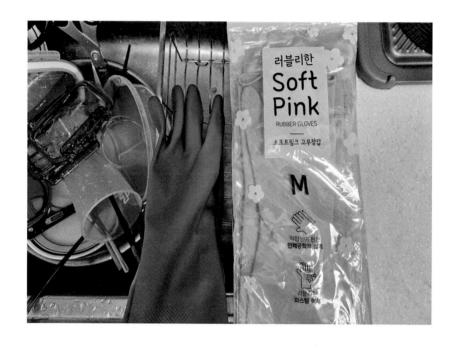

소프트 핑크 고무장갑

　지독한 굴레와도 같은 지겨운 설거지를 위해 싱크대 부엌 앞에 섰을 때 이제 막 택배로 도착한 새로 산 고무장갑이 생각났다.

　나름 고심해서 골랐다. 가끔 어쩌다 한 번 (웬일로) 설거지를 하는 남편을 생각해서 지난번과 비슷한 거로 고를지 잠깐 고민했다. 생각해 보니 내가 왜 어쩌다 한 번 할까 말까 하는 남편을 배려해서 고무장갑 색깔까지 고민하고 있나 하는 생각이 들었다. 김칫국물이 묻어도 잘 표나지 않으면서 색도 예쁜 소프트 핑크 고무장갑이 눈에 띄었다. 기쁜 마음으로 재빨리 택배 상자를 뜯고 고무장갑을 펼쳐 들었다. 예쁜 장갑을 보며 흐뭇한 미소를 짓고 있는 내 모습에 실소가 터져 나왔다. 고무장갑 하나에 이렇게나 기뻐하는 걸 보니 이제 영락없는 주부가 다 됐나 보다.

이름도 사랑스러운 파스텔 색채의 소프트 핑크 고무장갑이다. 어쩜 이렇게 주부 마음을 잘 아는지 역시 좋기로 소문난 후기 맛집은 다 이유가 있다. 한동안 설거지할 맛이 날 것 같다.

치유되는 파도 소리

봄이 찾아온 어느 일요일의 정오. 오랜만에 남편과 외식을 했다. 추운 겨울내내 집에서만 밥을 해 먹다가 이런 대낮에 남편과 함께 외출을 한 건 매우 오랜만이라 이대로 집에 들어가기 뭔가 아쉬웠다. "날씨도 좋은데 어디 드라이브라도 갈까?" 남편의 말에 바로 긍정의 화답을 했다. 웬일로 마음이 통했나 보다. "좋지!~" 갑자기 신이 났다.

그렇게 예정에 없던 갑작스러운 드라이브가 시작되었다. '오늘은 여기 가볼까? 여기 뭐가 새로 생기려고 하는 거지? 여기까지 도로 가 있네. 어디까지 이어져 있나 좀 더 들어가 보자.' 호기심 많은 남편은 안 가본 곳이면 길이 난 끝까지 어디든 가보려고 했다. 남 편을 따라 오늘도 계획에 없던 바다를 구경하게 됐다.

바닷가 근처에 살고 있지만 나는 여전히 바다가 참 좋다. 규칙적으 로 들려오는 잔잔한 파도 소리를 가만히 듣고 있으니 혼란스럽게 요 동치던 내 마음도 어느새 덩달아 고요해진다. 따스한 햇볕 아래에 서 바다를 보며 치유하는 이 시간이 참 좋다.

적당한 때

학창시절엔 일찍 피었다가 금방 져버리는 벚꽃의 소중함을 잘 알지 못했다. 내가 다녔던 고등학교는 나름 우리 지역에서 벚꽃으로 유명한 명소였다. 벚꽃이 만개할 무렵이면 사진을 찍겠다고 학교까지 사람들이 몰려오기도 했다. 아무리 벚꽃이 흐드러지게 피었어도 학교 안에서 시험 기간에 감상하는 벚꽃은 그다지 만족스럽지 않았다. 대학생이 되면 다를 줄 알았다. 그러나 대학생이 되어서도 별로 다르지 않았다. 학교에서도 벚꽃 나무를 구경할 순 있지만, 벚꽃이 필 때면 항상 시험 기간이 겹쳤다. 시험공부가 끝나고 도서관을 나와 선선한 밤공기를 맡으며 가로등 불빛 아래 보이는 벚꽃을 겨우 구경했던 기억이 난다. 지금 생각해 보면 하루 정도는 유명한 벚꽃 명소로 떠나보지 못한 게 못내 아쉬움이 남는다. 대학을 졸업하고 직장인이 되면 더 많은 기회가 있으리라 믿었다.

사회 초년생들이 으레 그렇듯 처음 맛보는 사회의 쓴맛에 취해 하루하루 버티는 삶을 겨우 살다 보니 휴일이면 가만히 집에서 편하게 쉬고 싶었다. 주말에 귀중한 휴식시간을 할애하여 인산인해를 이루는 사람들 틈을 뚫고 여의도 벚꽃축제에 참가할 용기와 체력이 부족했다. 당시 룸메이트였던 친구가 '벚꽃이 아니라 사람 구경하다 왔어.'라는 한마디에 안 가길 잘했다고 안도했다. 직장 생활에 좀 더 적응되면 그때 사랑하는 사람과 함께 가야겠다고 다짐했다. 그런데 내 생각처럼 그런 기회는 좀처럼 오지 않았다. 나중으로 미루기만 하다가 결국 여의도 벚꽃축제는 한 번도 가보지 못하고 직장 생활 5년 만에 자취 생활을 청산하고 고향으로 내려오게 되었다. 루푸스라는 자가면역질환을 진단받고, '루푸스는 아기 면역이라 감염에 취약하기 때문에 사람 많은 곳을 조심해야 해요.'라는 말을 들으면서 한 번 더 깨달았다.

인생에 적당한 때라는 건, 마냥 기다린다고 오는 게 아니라는 것을. 마냥 더 나은 때가 오기만을 기다리지만 말고, 한 살이라도 젊을 때 시간과 체력이 허락할 때 좀 더 많은 것들을 누리고 즐겨야 한다는 것을. 소중한 오늘을 쉽게 흘려보내지 말아야지.

봄에 피는 꽃

　서울 생활 4년 차. 이른 새벽부터 잘 떠지지 않는 눈을 비비며 지하철에 겨우 몸을 싣고 출근을 해서 햇빛 한 번 보지 못하고 창문이 없는 고층 빌딩의 지하 건물에서 근무하던 때의 나는 봄에 피는 꽃 같은 것들에는 별 관심이 없었다. 그저 오늘 하루도 아무 일 없이 무사히 넘기기만 했으면 좋겠다고 마음속으로 빌고 또 빌었다. 매화는 언제 피는지, 벚꽃은 폈는지, 어디서 무슨 축제가 열리는지. 그런 건 내 관심 밖이었다.

고향으로 내려왔을 때 가장 기뻤던 일 중 하나는 삶의 여유가 생긴 것이었다. 가장 크게 피부로 와닿았던 건 그전에는 잘 눈에 보이지 않던 계절의 변화와 자연의 아름다움이 눈에 들어왔다는 것이다.

'아직 날이 쌀쌀한데도 불구하고 너희들은 벌써 봄을 맞을 준비를 하는구나. 이제 나도 봄을 맞이할 준비를 해야겠다.' 자연의 변화를 온전히 느끼는 일은 생각보다 소중했다. 자연의 변화를 온전히 느낄 수 있는 오늘에 참 감사하다.

벚꽃 눈

내가 사는 따뜻한 남쪽 지방은 눈이 잘 내리지 않는다. 밖에 눈이 내린다고 다들 한껏 호들갑이길래 잔뜩 기대하고 나갔다가 '에게?' 하고 실망했던 적이 한두 번이 아녔다. 그렇지만 여기서도 눈을 구경할 기회는 있다. 바로 벚꽃 눈이다.

'봄바람 휘날리며~ 흩날리는 벚꽃잎이~'

장범준의 가사처럼. 흩날리는 벚꽃 눈을 볼 수 있다.

　우리 집 앞에도 이렇게 예쁜 벚꽃 나무를 감상할 수 있다니. 바람에 흩날리는 벚꽃잎과 바닥에 떨어진 벚꽃잎이 마치 하늘에서 내린 예쁜 분홍빛 눈처럼 보인다. 겨울에 보지 못한 눈을 이렇게나마 눈에 담아본다. 혼자 보기 너무 아까울 정도로 너무 아름다운데 동영상을 첨부할 수 없다는 게 아쉽다.

나를 위로하는 나무 한 그루

4월 초의 어느 날. 집 밖을 나서다가 집 앞에 홀로 우뚝 솟아 있는 나무 한 그루를 습관처럼 무심코 바라보았다. 그런데 이게 무슨 일인가. 앙상한 나뭇가지에 항상 외롭게 자리 잡고 있던 둥지 옆으로 새 한 마리를 발견했다. 2년 가까이 살면서 둥지로 새가 드나드는 광경을 처음 목격했다. 기쁘고 반가운 마음에 얼른 휴대전화를 들어 사진에 담아보았다. 저 멀리 솟아 있는 나무를 휴대전화로 찍는 건 여간 쉽지 않았다. 더군다나 미세먼지도 심하고 날도 흐린 탓에 선명하게 찍지는 못했다. 날이 좀 더 맑았다면 선명하게 새를 찍을 수 있었는데 살짝 아쉽다. 그래도 이 순간을 사진으로 담을 수 있어서 뿌듯하다.

2주 뒤 어느 날. 며칠 비가 내리더니 맑게 갠 화창한 봄 날씨. 예쁜 하늘을 배경 삼아 내가 아끼는 우리 집 앞 홀로 우뚝 솟은 나무 한 그루를 다시 사진에 담아본다. 푸른 잎에 가려 이제는 잘 보이진 않지만 어딘가에 함께 있을 새들도 함께.

이상하게 이 나무만 보면 나는 안심이 된다. 언제나 그 자리에 변함없이 곧게 우뚝 서서 나를 보듬어줄 것 같아서.

뭉실뭉실 뭉게구름

에세이를 쓰겠다고 마음먹고 나니 사소한 일상들을 주의 깊게 관찰하게 된다. 무심코 지나치던 일상들도 새롭게 다가온다. 가령 오늘의 뭉실뭉실 떠오른 뭉게구름 같은. 보통은 어느 날 문득 하늘을 올려다봤을 때 하늘이 예쁘면 기분이 좋아 그 순간을 기록해두고자 사진을 찍곤 했다. 그게 다였다.

그런데 포토에세이를 쓰게 되면서부터 매일 하늘을 유심히 관찰하는 습관이 생겼다. 어제는 구름 한 점 없는 깨끗한 하늘이었는데 오늘은 꽤 구름이 많네? 하고 말이다. 평소엔 엊그제 날씨도 금세 까먹곤 했다. 에세이를 쓴다는 건 내 일상을 좀 더 유심히 들여다보고 사소한 것에도 행복해지는 기쁜 일이 아닐 수 없다. 오늘은 구름 가득한 맑은 하늘 덕에 유난히 기분 좋은 날이다.

크나큰 발전

　"어머, 여기 벚꽃 너무 예쁘게 폈다. 엄마가 너 사진 한 장 찍어줄까?" 해가 지기 직전의 어느 오후, 저녁을 먹으러 가기 전 들른 산책길에서 엄마가 벚꽃 나무를 바라보며 말씀하셨다. 별로 내키진 않았지만, 엄마의 성의를 생각해 알겠다고 대답했다. 평소 엄마의 사진 실력을 알기에 휴대전화를 건네며 엄마에게 말했다. "엄마 바닥이 최대한 안 나오게 배경 위주로 휴대전화를 위로 들어서 잘 들어서 찍어줘."라고. 엄마가 자신 있게 고개를 끄덕이신다.

자세를 취하기 위해 종종걸음으로 벚꽃 나무 아래로 향했다. 걸어가는 와중에 벌써 '찰칵, 찰칵' 셔터 누르는 소리가 들린다. 고개를 돌려보니 저 멀리 꽤 진지한 표정으로 휴대전화를 비스듬히 들고 계시는 엄마가 보였다. '엄마 휴대전화가 삐뚤어졌어…' 비실비실 웃음이 새어 나왔지만, 엄마의 진지한 표정을 보고 할 말을 속으로 삼켰다.

"엄마 이 정도면 됐어?" 보통은 사진작가가 해야 할 말을 대신한다. 엄마는 아직 만족스럽지 않은지 대답이 없다. 이번엔 휴대전화를 가로로 눕혀 찍고 계신다. 몇 번의 찰칵 소리가 들리더니 사진 찍는 것을 멈추고 내게 가까이 다가오셨다. "사진 잘 나왔는지 확인해봐. 이 정도면 돼?" 바람도 꽤 세차게 불고 너무 추워서 빨리 실내로 들어가고 싶어 앨범을 대충 훑어보는 척하고 마음에 든다고 대답했다.

나중에 집에 오는 길에 사진을 확인해보니 또 한 번 웃음이 나왔다. 괜히 하늘 위주로 찍어달라는 소릴 했나 보다. 그래도 예전에 비하면 크나큰 발전이다. 사진 속 주인공이 나인지는 아무도 모를 것 같지만 풍경이 예쁘게 잘 담겼다. 그동안 동생과 함께 열변을 토하며 열심히 강의한 보람이 있다.

구례 치즈랜드

    전남 구례군 산동면에 있는 지리산치즈랜드이다. 이곳은 한 가족이 운영하는 개인 목장인데 더 많은 사람에게 낙농산업과 우유를 알리기 위해 2012년 체험목장 지리산치즈랜드를 건립하였다고 한다. 개인 사유지로 성인은 5천 원의 입장료가 있고 양 떼들에게 건초 먹이 주기 체험도 해볼 수 있다. 전부 둘러보는 데 1시간 정도 필요한데 언덕

위쪽까지 올라가면 더 아름다운 전경을 감상해볼 수 있지만 생각했던 것보다 사유지가 넓고 언덕이 가파른 탓에 올라갈 엄두가 않나 올라가진 못했다.

그렇지만 노랗게 핀 아름다운 수선화도 구경하고 소나무와 저수지를 배경으로 사진을 찍는 것만으로도 충분히 만족했다. '한국의 알프스'라 불린다는 데 사는 곳 가까이에 이렇게 멋진 풍경을 감상할 수 있는 곳이 있다는 게 뿌듯하고 입장료를 내고서라도 오길 잘했다는 생각이 든다.

구례 산수유 마을

  구례 산수유 축제는 지난주로 끝이 났다. 올해 축제는 3월 9일부터 17일까지였는데 한 주는 시부모님과 함께, 한 주는 친정 부모님과 시간을 보내다 보니 어느새 축제가 끝나있었다. 그런데 남편이 갑작스럽게 휴가를 쓰게 되었다며 어디 놀러 가고 싶은 곳이 있는지 물었다. 그 말을 듣자마자 근교에 갈 수 있는 곳을 검색해보기 시작했다. 축제 기간은 아니더라도 저물어가는 꽃이라도 구경하고 싶었다.

구례를 가기로 계획하고 며칠 전부터 기대를 한가득 안고 들뜬 마음으로 하루하루를 보냈다. 그런데 설상가상으로 비도 온단다. 그래도 가야만 했다. 하루 전날까지 내일 제발 비가 오지 않게 해 달라고, 요즘 자주 빗나가는 일기예보가 이번에도 그러길 바랐다. 아침에 눈을 뜨자마자 침대 위 암막 커튼부터 걷었다. 다행히 비는 내리지 않는다. 아직 희망이 있다. 설레는 마음으로 새로 산 분홍색 봄 니트를 입고 오랜만에 한껏 치장을 해보았다. 차를 타고 구례로 이동하는 동안 날씨는 점점 흐려졌지만 개의치 않았다.

다행히 아직 노란 산수유를 꽤 구경할 수 있었고 축제는 끝났지만, 사람들도 제법 있었다. 사람 없는 시기를 노리고 일부러 뒤늦게 왔을 수도 있고 우리처럼 뒤늦게나마 꽃을 구경하기 위해 놀러 온 사람들도 있을 것이다. 약간 흐리긴 했지만, 최대한 밝은 하늘을 배경으로 노랗게 펴있는 산수유나무를 앵글에 담아본다. 시간이 갈수록 하늘은 어두워졌으며 바람도 세차게 불었다. 아쉬운 마음을 뒤로하고 저녁을 먹기 위해 다시 차를 타고 이동하는 동안 하늘은 점점 더 어두워졌고 먹구름이 끼더니 드디어 비가 한 방울씩 떨어지기 시작했다. 빗줄기는 점점 더 굵어졌다. 생각보다 산수유마을은 꽤 넓었고 다 둘러보진 못했지만 제법 유명한 포토존에서 사진도 찍고 마음에 드는 셀카도 건졌다. 이만하면 된 것 같다. 일기예보만 굳게 믿고 여정을 떠나지 않았다면 후회했을 것이다.

111

신약 주사

오늘은 한 달에 한 번 외래진료가 있는 날이다. 새벽 댓바람부터 서울로 가는 버스를 놓치지 않기 위해 서둘러 챙겨 나왔더니 온몸이 피곤으로 가득하다. 앱을 켜서 확인해보니 오늘 혈액&소변검사 결과 수치가 지난번 검사 때보다 호전되어 기분이 좋다. 한 달간 열심히 식단 관리하고 꾸준히 약을 잘 챙겨 먹은 나를 칭찬해본다. 교수님과의 진료를 마치고 기분 좋은 마음으로 치료제인 신약 주사를 맞기 위해 번호표를 뽑고 차례를 기다린다.

1년 전 나는 이 주사가 정말 간절했었다. 관절통이 심해 자주 온몸이 아프고 손가락 강직 증상이 발생했다. 얼굴은 수시로 벌겋게 부어올랐으며, 조금만 무리하면 다리가 퉁퉁 붓기도 했다. 잠들기 전 내일은 제발 멀쩡한 몸으로 출근하길 바랐다. 처방받은 약을 챙겨 먹으면 증상이 호전되는 줄 알았는데 몇 달이 지나도 진단받기 전과 크게 달라진 게 없자 불안해지기 시작했다. 급기야 전보다 검사 수치가 더 안 좋아졌다. 외래진료 때마다 내 얼굴은 울상이었다. 상태는 좀 어땠냐는 교수님의 물음에 여기도 아프고 저기도 아프고 온 관절이 다 아프고 약을 계속 먹어도 효과가 없는 것 같다고 하소연했다. 교수님께서 이러한 신약이 있는데 한번 주사를 맞아볼 생각이 있는지 고민해보고 오라고 하셨다. 주사를 맞는다고 꼭 모든 사람이 다 효과가 있는 것도 아니고 부작용이 있을 수도 있기 때문이다.

 주사를 맞은 지 꼭 1년하고도 두 달이 지났다. 꾸준히 한 달 간격으로 맞고 있는 주사 때문이었을까. 스트레스를 덜 받고 쉬고 있기 때문일까. 다행히 거짓말처럼 점차 수치도 좋아지고 증상이 호전되고 있다.

 좀 살만해지자 다른 환자들이 눈에 들어오기 시작한다. 외래주사실 안을 둘러보니 대부분 고령의 환자분들이었다. 누군가는 너무 아프다고 소리를 지르며 주사실에 들어오더니 주사를 맞으니 좀 살겠다고 그러고, 타과 예약이 되어있어서 빨리 가야 하는데 왜 주사를 안 놔주냐고 노발대발 화를 내기도 한다. 피 뽑는 게 왜 이렇게 오래 걸리냐고 울상인 환자도 있다. 오늘따라 환자들이 예민한 것 같다. 그 불똥이 혹시나 나에게 튀기진 않을까, 마치 살얼음판을 걷는 듯 마음이 조마조마했다. 평소보다 대기 시간이 훨씬 더 길어져 나도 불안하긴 마찬가지였다. 집으로 내려가는 버스 시간 때문이다. 다들 어디가 그렇게 아프셔서 이렇게 주사를 맞으시는 걸까. 무엇이 그들을 이토록 아프게 만들었을까. 여기서는 내가 가장 건강한 사람인 것 같았다. 이렇게 아프고 힘든 환자들 사이에서 겉으로 멀쩡해 보이는 젊은 환자인 내가 주사를 맞고 있어도 되나 하는 생각이 잠깐 들었다. 문득 달리 방법이 없어 부작용에 대한 두려움을 이겨내고 주사를 맞기로 했던 1년 전의 내 모습이 떠올랐다. 다행히 별다른 부작용 없이 신약 주사 치료를 받을 수 있어 참 감사하다.

수고했어. 오늘도

    외래진료가 끝나고 집으로 향하는 길. 공복의 혈액검사, 외래진료 후 신약 주사까지 맞고 하루 반나절을 병원에서 보내고 나면 몸이 녹초가 된다. 검사결과가 긴장되어 외래진료 하루 전날이면 잠을 설치느라 잠이 부족했던 탓도 있다.

한참을 쏟아붓더니 언제 그랬냐는 듯 어느새 비가 그쳤다. 일교차도 심하고 비가 온 직후라 그런지 바람도 불고 꽤 쌀쌀해 몸이 으슬으슬 추웠다. 문득 하늘을 올려다보니 오늘따라 아름다워 보여 급하게 휴대 전화를 꺼내 들었다. 그냥 지금 이 순간을 사진으로 남겨두고 싶었다. 후다닥 촬영을 하고 휴대전화를 얼른 호주머니에 넣고 시린 손을 양손으로 호호 불며 집으로 향했다. 뒤늦게 사진첩을 열어 사진을 확인해보니 초점도 잘 맞지 않고 흔들린 사진이었지만 생각보다 예쁘게 담긴 사진을 보고 놀랐다.

마치 오늘 하루도 정말 수고했다고. 고생 많았다고 나를 위로해주는 것 같았다.

남해 유채꽃밭

"오늘 날씨도 좋은데 꽃구경 갈까?" 4월 10일 수요일 선거날이다. 오늘을 위해 지난주 토요일에 남편과 미리 사전 투표를 마쳤다. 한동 안 날이 흐리더니 오늘은 완연한 봄 날씨다. 생각보다 날씨가 화창하 여 내 기분도 덩달아 좋아졌다. 남편이 SNS에서 봤다며 남해의 유채 꽃밭사진을 보여주었다.

남해 벚꽃 터널을 지나 목적지로 향하는 내내 차창 밖의 풍경이 정말 아름다웠다. 길가를 따라 눈만 옆으로 돌리면 흐드러지게 핀 유채꽃을 원 없이 감상할 수 있었다. 아쉽게도 벚꽃은 거의 저물어가고 있었지만 대신 유채꽃을 마음껏 구경했다. 내년에 벚꽃이 만개할 즈음 다시 또 남해에 가기로 남편과 약속했다.

이렇게 아름다운 자연의 경치를 감상해보니 마음이 참 따뜻하고 평화로워진다. 남편과 함께 감상할 수 있어 더 기쁘고 감사하다. 신혼생활이 길어지니 이런 장점도 있다. 아이가 생기기 전에 남편과 더 많은 여행을 떠나며 추억을 쌓아야겠다.

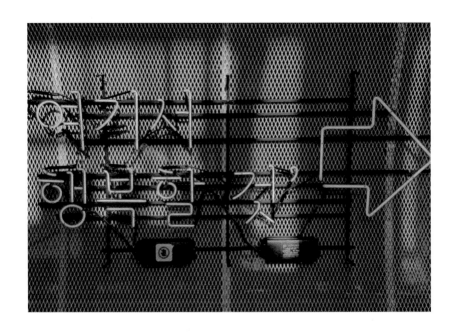

봄은 반드시 온다

　나에게 글쓰기란 가슴속 깊이 묻어둔 속 시끄러운 감정들을 끄집어
내어 정리하는 작업이었다. 분노, 불안, 후회, 죄책감, 열등감, 속상함,
억울함 등의 심란한 마음들을 한 자 한 자 글로 옮겨 적으며 해소하
기 위한 것. 그래서 일상 애(愛)세이를 쓰기로 마음먹고 하루의 행복
한 순간을 글로 옮겨보려니 처음엔 어떤 소재로 글을 써야 할지
막막해 꽤 애를 먹었다.

그런데 나의 일상과 주변의 사소한 변화들을 세세하게 관찰하고 관심을 가져보니 평소에 잘 눈여겨보지 않았던 사소한 것들이 하나하나 눈에 들어왔다. 아주 작은 일에도 금세 행복해하고 감사함을 느끼는 내 모습도 발견하게 되었다. 무엇보다 2024년의 소중한 나의 봄을 기록해 볼 기회가 주어짐에 감사하다. 반복되는 일상에 다소 무기력하고 지쳐있던 시기에 일책성장을 통해 일상 애세이를 만나 하루가 더없이 소중하고 행복해졌다. 일상의 소중함을 잊지 않고 기억하기 위해 앞으로도 꾸준히 계속 글을 써나가야겠다고 다짐해본다.

봄은 반드시 온다. 소중한 오늘을 기록하고 기억할 수 있음에 감사합니다.

글을 마치며,

오랜 시간을 혼자서 조용히 마음속으로만 품고 있었던, 그렇지만 간절히 원하던 꿈인 작가라는 길에 한 발 내디딜 수 있도록 제게 소중한 기회를 제공해주신 인독기 이주희 리더님께 진심으로 감사의 인사를 전합니다. 일단 시작은 했지만 두렵고 불안하던 저에게 따뜻한 응원과 용기 불어 넣어주신 일책성장 손유진 리더님 정말 감사합니다. 그리고 일책성장에 도전할 수 있도록 큰 동기부여와 용기를 주신 인선민 작가님, 문미영 작가님 감사드립니다. 따뜻한 응원과 격려 보내주시고 함께해주신 일책성장 5기 작가님들께도 감사 인사를 전합니다. 덕분에 힘을 얻고 포기하지 않고 끝까지 글을 쓸 수 있었습니다. 공저에 함께 참여할 수 있게 되어 영광입니다. 감사합니다.

김희배

책을 읽고, 글쓰기를 좋아한다. 온라인 마케터로 일하고 있으며, 첫 책으로 공저 『엄마와 함께한 봄날』을 출간했다.

김희배 일상애(愛)say

이석원 작가의 글을 좋아한다

이석원 그의 글은 투박 하면서도 담백하다. 그리고 솔직하다. 나는 그의 글을 『보통의 존재』로 처음 만났는데 적잖은 충격을 받았다. 그 간 읽어온 그 어떤 에세이보다 강렬하고 '이렇게까지 써도 될까?' 싶을 만큼 솔직했다. 그러나 그의 글이 솔직함의 전부였을까. 그렇지는 않을것이라 생각한다. 누구나 말하고 싶지 않은 게 있기 마련이니까. 그럼에도 그렇게 자극적이고 강렬하게 표현한 것은 나에게 깊은 인상을 남기기에 충분했다.

그리고 그의 책으로 인해 감추고 있던 내 욕심이 슬며시 드러나며 '그냥 하시는 말씀이겠지'하고 넘겼던 은사님과 직장 상사의 말이 떠올랐다. 중학교 때 "희배는 작가를 하는 게 좋겠다"라고 하셨던 은사님, "희배씨 칼럼니스트 해보는 거 어때요?"라고 했던 직장 상사의 권유가 생각나면서 숨기고 있던 '작가'라는 욕심이 마음 한편에 자리 잡기 시작했다.

그때부터였을 것이다. 블로그에 글을 남길 때 최대한 솔직하게 쓰기로 한 것이. 나를 숨기기보다는 들어내어 솔직함을 보여주기로, 블로그라는 내 공간에서 나에 대해 글을 쓰는 만큼 내게 보이는 나의 모습을 숨기지 않기로 말이다.

그렇게 솔직한 글쓰기를 해오던 어느 날 기회가 주어졌다. '엄마'를 주제로 한 에세이 공저 작가 모집의 남은 세 자리 중 하나를 차지하게 된 것이다. 나는 엄마에 대한 이야기를 솔직하게 그리고 쏟아내듯이 글을 썼고 그렇게 나의 첫 공저 책 『엄마와 함께한 봄날』이 출간되었다. 이십 년 지기 친구들조차 몰랐던, 내가 생각하는 엄마에 대한 이야기가 담긴 책. 그 책을 읽은 친구들과 지인들은 하나같이 울었다는 말과 함께 인사를 전해왔다.

그 글은 누군가를 울리기 위해 쓴 글이 아니었다. 그냥 내 이야기, 내가 생각하는 엄마에 대한 이야기를 덤덤하고 솔직하게 썼을 뿐인데 나의 그런 감정이 그들의 감성을 건드린 듯하다.

솔직함. 나는 글의 솔직함을 이석원 작가에게서 배웠고 그 솔직함에는 용기가 필요하다는 것도 그의 글을 통해서 배웠다. 그래서 나는 그의 글을 좋아한다. 솔직한 그의 글을.

[내가 소장하고 있는 이석원 작가의 책들]

비상식량

읽고 싶었던 책, 재미있는 제목, 호기심을 일으키는 책 광고를 보면 일단 앞뒤 가리지 않고 장바구니에 넣어둔다. 또는 과제를 위해 필요한 책, 업무에 관해서 필요한 책, 새로운 일이나 취미가 시작되면 여지없이 책을 먼저 찾아 읽는다. 나는 그렇게 책으로 공부한다.

뭔가 새로운 것을 시작하게 되면 책으로 공부해야 직성이 풀리다 보니 그와 관련된 책도 많다. 특히, 좋아하는 작가나 분야의 책이 출간되면 여지없이 일단 구매하는데 이렇게 해서 채워진 책장에는 안 읽은 책도 많다.

책이 이렇게나 많은데도 책 욕심에 서평단 활동까지 하다 보니 주객이 전도된 모습이다. 내가 구매해 놓은 책은 모두 뒷전으로 밀리고 쫓기듯이 서평단 책을 읽는 내 모습에서 '이건 아니다'라는 생각이 들었다. 이렇게 책장에만 모셔두려고 구매한 책들이 아니기에 지난 3월을 마지막으로 서평단 활동을 마치고 이제는 내 책장에만 집중하기로 했다. 이렇게 마음을 정리하고 나니 한결 편안하게 책장의 책을 골라서 읽게 됐다.

언젠가 그런 글을 읽은 적이 있다. "책장에 읽을 책이 없다는 것은 찬장에 비상식량이 없는 것과 같다." 내 비상식량, 책. 요즘 그 비상식량을 골라 먹는 재미가 쏠쏠하다. 그리고 시의적절하게 읽게 되는 책과의 타이밍도 기가 막히고 이건 마치 운명 같은 느낌이라 놀랄 때도 있다. 그런데 이것 역시 책 고르는 재미 중 하나이지 않을까.

[내 책장의 다양한 책들]

[이사한 새 보금자리에 놓여진 책들]

가장 정성스럽게

    글을 쓰는 동안 이사를 했다. 이사를 하면서 가장 중요하게 생각한 부분이 책들이다. 포장 이사를 함에도 '내 책은 내가!'라며 이사 이틀 전부터 직접 포장을 했다. 이사업체 사장님이 포장한 책을 보시며 "이렇게까지 하지 않으셔도 돼요"라고 하셨으나 그건 책쟁이가 아니어서 하는 말이다. 책쟁이치고 책을 아끼지 않는 사람이 있을까? 특히 나 같은 결벽증에 편집증까지 있는 사람이 말이다. 나는 사장님의 말에 "제 책은 소중하니까요"라고 대답하며 싱긋 웃어 보였다.

    이사 3일 차에 모든 정리가 마무리되었다. 책장을 어디에 둬야 하는지, 이번에는 어떤 기준으로 책들을 배치할지 고민을 하면서 각을 제고 머릿속에서 시뮬레이션을 돌리고는 했다. 그런 후의 결정된 위치와 책의 배치. 탁월하다. 마음에 쏙 들어.

    남편이 얼마 전에 나에게 이런 말을 했다. "나중에 큰 집으로 이사 가서 자기 책 다 넣을 수 있게 벽면을 꽉 채우는 큰 책장 마련해줄게" 이런 그의 말은 나를 즐겁게 한다. 벌써 상상한다. 어떤 책장에 어떤 책으로 채울지를.

[잘 가라]

비우고 채우기

언젠가 동생이 책으로 빈틈없이 채워진 내 책장을 보면서 "언니, 책도 순환해야 한대. 안 보는 책은 버리거나 팔아"라는 말을 했다. 그 말에 곰곰이 책장을 들여다봤다. 한 작가의 책에 꽂히면 그 작가가 쓴 책 전체를 찾아보는 것이 그 시작이요, 구매하는 것이 그 시작의 끝이었다. 그렇다 보니 한 작가의 책이 전집처럼 모셔져 있게 되었고 동생은 그게 답답했던 것 같다. 다 읽지도 않으면서 사 모으는 내 모습이 말이다.

동생의 말을 들은 그날 나는 책장에서 책을 꺼냈다. 처음 한 권을 집어 들었을 땐 아쉬웠는데 이내 '이 책은 놔둬도 안 보겠다' 싶은 책들을 거침없이 골라냈다. '버려, 버려. 다시 읽고 싶으면 그때 다시 사지 뭐'라는 생각으로 서슴없이 골라내어 중고서점에 판매했다. 그리고 비워진 책장을 보면서 내 장바구니 속에 있는 책들을 생각했다. '그 책들 살 수 있겠군.'

그렇게 다시 책장을 채우는 재미를 알게 되면서부터 한 번씩 책장을 유심히 살펴보게 된다. '이번에는 어떤 책을 팔아볼까.' 이렇게 하다 보니 필요 없는 책, 영양가 없는 책, 책의 앞 몇 장을 읽으면 '이건 중고서점 갈 책이네' 싶은 것이 보이기 시작했다.

책 욕심을 어느 정도 버린 것이다. (어디까지나 어느 정도다. 난 아직도 책 욕심이 많다) 내가 구매한 모든 책을 이고 지고 살아야 한다는 욕심을 버린 것이다. 아까워 하지 않고 아주 곱게, 어느 한구석 구겨지지 않게 책을 읽고 냅다 중고서점으로 보내버리는 스킬도 생겼다. (책이 깨끗해야 최고가를 받을 수 있다.)

지금도 눈앞의 책장을 훑어본다. '팔만한 책이 있나? 그거 팔아서 다른 책 사면 좋은데' 두 달 전에 한 번 비웠더니 아직은 비워야 할 책이 보이지 않는다. 다 읽지 않은 탓도 있겠지.

그러면서 교보문고 앱을 들여다본다. 장바구니에 담을 만한 책

이 뭐가 있을까, 장바구니에 있는 책 중에서 당장 갖고 싶은 책은
뭔지 세상에서 가장 진지하게 본다. 비웠으니까 채울 차례이므로.

언제나 그렇듯이

  새롭게 무언가를 시작하면 일단 그것과 관련된 공부를 먼저 한다. 물론, 책으로. 책을 무작정 사서 보는 게 아니라 관련성 높은 책을 찾고 또 찾는다. 책의 목차를 보고, 미리보기를 보고, 다른 사람들의 책 리뷰를 보면서 꼼꼼하게 살핀다. 그런 후에 서점에 가서 그 책을 들여다본다. 그런 후 결정한다. 이 책이 내가 찾는 그 책이 맞는지 아닌지를.

  그런가 하면 각 분야마다 바이블이라 불리는 책이 있기 마련이다. 분야별 필독서 같은 책들 말이다. 이 책들 역시 그렇다. 알 리스와 로라 리스가 쓴 불변의 법칙.

[불변의 법칙이 들어 있다]

현재 나는 광고홍보를 전공하고 프리랜서 마케터로 일하고 있다. 전공 공부를 하면서 현업에 종사하는 많은 강사님의 강의를 들었는데 그분들이 꼭 빠뜨리지 않고 언급했던 책이 『마케팅 불변의 법칙』이다.

마케팅은 시대가 변하면서 그 방식도 많이 바뀌었는데 사람들은 그것만으로 고전적인 마케팅은 필요 없다고 말하기도 한다. 하지만 틀렸다. 현재 유행하는 마케팅들은 그저 트렌드일 뿐이다. 그리고 그 트렌드를 따라가는 많은 브랜드 중에서 성공한 브랜드는 기본에 충실한 채 트렌드에 맞춰 변형만 해준 것이다. 일부의 모습만 보고 고전적인 마케팅이 필요없다고 말하는 것은 위험한 발언이다.

무엇이든 기본이 중요하다. 기초가 탄탄해야 그 위에 돌을 쌓을 수 있다. 그래서 나는 이번에도 이 고전적인 책을 꺼내 읽는다. 『홍보 불변의 법칙』과 『브랜딩 불변의 법칙』도 함께.

곧 새로운 곳에서 근무를 시작한다. 새로운 환경에서 마케터로 일하게 되는 만큼 바이블처럼 갖고 있는 책들을 읽고 있다. 배운다기보다는 의지하는 마음으로, 나를 다잡는 마음으로 그렇게 읽는다. 오만방자 떨지 않기 위해서 말이다.

언제나 그렇듯, 답은 책에 있고 글에 있고 사유에 있다.

필수품

[나의 필수품 책. 볼펜. 플래그]

운전자가 되기 전의 나는 언제나 큰 가방을 갖고 다녔다. 외출 필수품인 책이 꼭 있어야 했기 때문이다. 운전을 하면서부터는 굳이 큰 가방이 아니어도 상관없게 됐다. 가방에 책을 넣지 않아도 갖고 다닐 수 있는 차가 있으니까.

그런데 이게 편하면서도 단점이 되기도 한다. 지하철을 이용했을 때는 그때마다 책을 읽으니 독서 시간이 긴데, 운전을 하면 그게 안 된다는 거다. 목적지에 상대방보다 일찍 도착해야 그나마 책을 읽을 수 있는 시간이 확보된다.

한 번은 도착시간 빠듯하게 출발한 적이 있다. 아슬아슬하게 약속 장소에 도착했는데. 상대방에서 급작스러운 일이 생겨 두 시간 늦게 만나게 된 것이다. 빠듯한 시간을 맞추다 보니 책을 못 챙겼고, 도착하니 상대방은 두 시간 늦는다고 하고. 기분이 나쁘지는 않았다. 그분의 입장이 충분히 이해되는 상황이었기 때문이다. 다만, '난 이제부터 두 시간을 어떻게 보내나' 이 생각뿐이었다.

생각은 금방 정리됐다. 내 목적지는 교보문고다. 차를 돌려서 광화문 교보문고를 갔다. 한껏 책 냄새도 맡고, 책도 들춰 보며 어떤 책을 손에 쥐고 나갈지 고민하다 한 권을 골랐다. 그리고 다시 카페로 이동. 책 읽은 시간 30분 남짓. 책을 보러 가는 길, 책 냄새, 책 구경하며 보낸 그 두 시간이 나에게는 꿈 같은 시간이었다.

나는 이날 이후로 책을 더 필수품으로 챙겼다. 빠듯하게 쫓길 듯한 스케줄이면 하루 전날 책을 골라서 가방에 넣어두는 부지런을 떨면서 말이다. 그리고 책과 함께 빠질 수 없는 것이 펜과 플래그 테이프다. 눈에 들어오는 문장, 공감되는 문장, 깨닫게 되는 문장, 하염없이 머물게 되는 문장에 펜으로 표시하고 플래그를 붙여준다. 그렇게 다 읽은 후에는 블로그에 글을 남겨 기록한다.

책, 펜 그리고 플래그 테이프는 외출을 위한 필수품이고 읽고 쓰기 위한 필수품이다.

[책으로 채운 조용한 거실]

고즈넉함이 별거인가

오늘따라 이 저녁이 고요하다. 이른 새벽이나 늦은 저녁. 남편은 아직 자고 있거나 이내 나보다 먼저 잠자리에 들어간 지금 같은 시간. 이 시간이 온전한 내 시간이 되어서 좋다. 아무 소리도 없는 이 시간에 책만 읽고 있어도 좋고 일기 쓰기에도 좋으며 이른 새벽이면 스케줄러 정리로 하루를 계획하기에도 좋은 시간이다. 밖이 깜깜한 새벽이면 더 좋고.

지금이 딱 그런 기분이랄까. 일기를 쓰고 있는 것도 아니고, 책을 읽고 있는 것도 아니지만 오늘 하루의 내 모습이 정리되는 그런 기분 말이다.

지금이 저녁이 아닌 새벽이었다면 커피도 한잔 마셨을 텐데. 그랬다면 더 좋았을 시간이었겠다는 아쉬움이 있지만 그 커피 한잔을 내일 새벽으로 미루니 한편으로는 설레기도 한다. 참, 별것도 아닌 거에 잘도 설레는 나다.

지금은 온전히 이렇게 글을 쓰며 이 고즈넉함을 즐겨본다. 고즈넉함이 별거인가. 어디든 고요하고 아늑하면 그게 고즈넉한 곳이지. 그리고 작게 들려오는 남편의 코 고는 소리마저도 좋다. 적어도 남편이 깰 일은 없다는 증거니까. 온전히 나 혼자 이 시간을 보낼 수 있다는 거니까.

좋다, 이 시간.
이 느낌.

손글씨를 좋아한다

한 작가에게 꽂히면 그 작가의 책을 모두 읽고자 하는 욕심처럼, 필기구도 브랜드 하나에 꽂히면 기어코 써봐야 하는 욕심이 있다. 심지어 그 제품이 단종될까 봐 무더기로 사놓고 쓰기도 한다. 나는 핸드폰에 메모하는 것보다 포스트잇에 손글씨로 써서 핸드폰 뒷면에 붙이는 메모를 좋아하고, 핸드폰 스케줄러보다 손글씨로 기록하는 종이 스케줄러를 사용한다. 패드나 모니터를 통한 글 읽기보다 종이에 인쇄된 글 읽기를 좋아한다.

뿐만일까. 일이나 학업과 관련된 자료를 봐야 할 때면 화면으로 보기보다는 출력해서 읽으며, 한 손에는 연필을 들고 그 옆에는 형광펜을 비롯한 형형색색 펜을 준비해 놓는다. 그리고는 펜으로 줄을 쫙쫙 그어가면서 종이를 한 장씩 넘기며 읽는 것을 좋아한다. 읽다가 따로 메모해야 할 때는 사진으로 남기기보다는 노트에 적는다.

AI 시대에 난 왜 이러고 사냐고? 그것을 좋아하는 것이 첫 번째 이유이고, 적당한 아날로그는 뇌 건강에 도움을 주기 때문인 것이 그 두 번째 이유이다.

유난히 필기도구를 좋아하고 낙서와 기록하고 남기는 것을 좋아하며 그것을 손으로 쓰는 걸 좋아하니 AI 시대에 이렇게 살 수 밖에.

특히 연필로 글씨를 쓸 때면 샤프에서는 느껴지지 않는 그 촉감과 소리가 좋다. 연필만 낼 수 있는 그 느낌 말이다.

오늘도 나는 연필로 메모를 한 포스트잇을 핸드폰 뒷면에 붙여놨다. "꼬마 밥 사기"라고.

[더 갖고 싶어]

[순간]

기록

　매일 스케줄러에 기록해 온 지 20년이 넘었다. 대학 때부터 해 왔으니 20년이 넘어도 훌쩍 넘었다. 어느 해는 탁상 달력에 기록했고, 어느 해는 간단한 스케줄러에 또 어느 해들은 먼슬리, 위클리, 데일리로. 여러 가지 스케줄러를 번갈아 가며 그 시기에 맞는 것을 사용하면서 일과를 정리해 왔다.

　일과를 기록하여 관리하는 것으로 시작했지만 이제는 내가 무엇을 하며 지내왔는지를 기록하기 위해 사용한다.

스케줄러에 집중적으로 기록을 남긴 적이 있다. 할머니를 위해서. 아니, 할머니를 간병하는 나를 위해서 기록에 집착했다. 병간호가 시작되면서 할머니의 모든 병원 스케줄을 기록했고, 하나였던 진료과목이 점점 늘어나면서 내원하는 날이 많아졌다. 그렇다 보니 더 꼼꼼하게 기록해야 했다. 신경과, 내분비내과, 정신건강의학과, 산부인과, 치과 그리고 응급실 기록까지.

할머니가 돌아가시고 난 후에도 내원 기록이 남아 있는 몇 년 치의 스케줄러를 버리지 못하고 보관했었다. 그러다 어느 날 문득 그 스케줄러를 훑어보니 주황색 형광펜으로 색칠된 것이 눈에 띄었다. 할머니와 함께 병원에 간 날이다. 드문드문 보이던 주황색 형광펜은 다음 해의 스케줄로 넘어갈수록 점점 많아졌고 그 많은 날들 동안 할머니는 병원에 다녀야 했다.

할머니가 돌아가시고 2~3년 정도 보관해 오던 그간의 스케줄러 몇 년 치를 모두 버렸다. 그 시간에서 벗어나자 하는 마음으로 버렸지만 아쉬움이 남는 건 어쩔 수 없었다. 할머니와의 시간을 없앤 것 같아서 말이다.

사실 할머니와 병원 가는 날이 나에게는 가장 고된 스케줄이었지만, 그날만큼은 할머니에게 더없이 살가운 손녀딸이 되곤 했다. 할머니 넘어질까 봐 손을 꼭 잡고 다녔고, 휠체어에 앉아 있는 시간이 길어질수

144

록 엉덩이가 아프지는 않을까라는 걱정을 하면서 할머니 곁에 있었다.

　기록으로 남겨 놓은 그 시간을 놓지 못하고 잡고 있다가 드디어 내려놨다. 아쉽지만 그래도 괜찮다. 내가 지금처럼 이렇게 기억하고 있으니까. 나의 나여사를 나는 잘 기억하고 있으니까. 지금처럼.

[나란히, 같이]

둘이 함께

나와 남편이 결혼한 지 2년이 되어간다. 결혼을 준비할 때부터 시작하여 신혼여행지에서마저도 우리가 끝까지 챙기며 한 일이 있다. 업무.

어느 커플이 신혼여행지에 노트북 들고 가서 업무를 볼까. 그게 우리 커플이다. 도저히 어떻게 방법이 없는 그런 상황. 나는 나대로 상황이 여의치 않아서 노트북을 챙겨야 했고, 남편은 남편대로 바쁜 시기여서 노트북을 챙겨야 했다. 신혼여행 준비를 하면서 노트북 챙기는 우리가 기가 막히면서도 웃겼고, 신혼여행지 숙소에서 나란히 노트북 켜놓고 일하는 모습에 헛웃음이 나왔다. 무슨 세미나도 아니고.

이런 상황은 결혼 2년 차인 지금까지 계속되고 있다. 여행을 가더라도 둘 중 한 명은 노트북이 있어야 한다. 특히, 남편. 남편 회사는 어쩜 그렇게 휴가에 맞춰서 득달같이 전화를 걸어 업무 이야기를 하는지. 거래처들은 또 어떻게 알고 놀러 간 그날 그렇게 전화를 해서 일해달라고 할까.

햇살이 무척이나 예뻤던 그 주말에도 우리는 카페에서 마주 보고 앉아 노트북을 켜고 일을 했다. 이제는 이런 상황에 익숙해져서 서로 헛웃음 한번 짓고 "그러면 그렇지"라고 말하며 일을 한다.

다행인 것은 이런 상황을 둘 다 죽을 만큼 싫어하지는 않는다는 거다. 특히 나는 이렇게 둘이 함께 한 공간에서 좋아하는 커피 마시며 일하는 그 시간이 좋다. 남편은 어떨지 모르겠지만, 나는 좋다.

[평일 데이트]

신기하다

    가끔 남편과 평일 낮에 데이트를 할 때가 있는데, 그때마다 '내가 결혼을 하기는 했구나'하고 생각하게 된다. 연애 중이었다면 평일 낮 데이트가 쉬웠을까. 쉽지 않았을 텐데 결혼을 하니 남편의 "가자!"하는 말에 얼른 따라나서게 되는 것은 아직도 신기하다.

이날도 그랬다. 일하느라 바쁜 나에게 맛있는 거 먹으러 가자며 아침부터 나를 독촉했다. 남편의 독촉에 일을 후다닥 중간 마무리를 해놓고 따라나섰다. 강원도까지.

운전하는 남편 옆에서 쫑알거리며 수다 떨다가 잠들어버린 상태로 강원도에 도착했다. 그렇게 도착해서 맛있는 밥을 먹고 빵 좋아하는 날 위해 맛있는 빵을 파는 카페를 찾아 빵도 사고 커피도 마시며 시간을 보냈다. 그리고 그날에도 나는 남편에게 "이렇게 자기랑 데이트 하면 결혼했다는 걸 실감해."라고 말했다.

결혼 2년 차. 아직도 내가 유부녀라는 게 신기하고 실감 안 나는 나. 남편과의 데이트는 결혼 전이나 지금이나 즐겁고, 나를 위한 맞춤 코스는 항상 고맙다.

그리고 강원도 다녀온 저 날. 저 카페에서 나는 노트북을 켜고 중간 마무리했던 일을 끝마쳤다. 떼어내랴 떼어낼 수 없는 노트북이다.

수다는 언제나 부족하다

　유독 이 친구를 만날 때면 한 자리에서 커피를 두 잔씩 마시게
된다. 원체 마시는 걸 좋아하기도 하지만 밀린 수다를 떠느라 목
이 타서 더 그런 듯싶다. 이날도 그랬다. 이사한 집에 놀러 와준
친구. 집에서 이미 커피를 한 잔 마셨는데 스타벅스에서 그란데
사이즈 한 잔씩 추가. 그렇게 우리는 이날에도 커피 1리터를 마셨
다.

[자고로 커피는 기본 1리터]

이 친구는 중1 때 만났다. 내가 10번, 친구가 11번. 생일도 5일밖에 차이 안 나는 우리는 나란히 앉게 되면서 금세 단짝이 되었다. 친구는 언제나 내가 스치듯이 했던 말을 기억하고 매번 나를 챙긴다. 그렇게 받는 친구의 선물은 센스라기 보다는 '마음'이라 생각한다.

7년간 이 친구와 연락이 닿지 않았던 적이 있다. 친구의 속내를 모른 채 연락 두절된 상태는 갖가지 오해를 불러일으켰고, 그로 인해 먼저 연락을 해준 친구의 손을 잡지 않은 적도 있다. 힘들게 내민 손이었음을 나는 잘 알고 있었음에도 그 손을 뿌리쳤다. 그런 후 2년이 지난 어느 날 갑자기 이 친구가 생각났다. 2년 전에 받았던 연락처를 지우지 않고 갖고 있었기에 저녁 늦은 시간임에도 무작정 전화를 걸었다. 그리고 우리는 많은 이야기를 나눴고 드디어 만나게 되었다. 7년 만에.

7년 만에 만나던 그날을 나는 또렷이 기억한다. 현관문에 들어서지도 못한 채 서로 끌어안고 방방 뛰면서 반가워했던 것을. 그리고 아직은 어색했던 대화를.

우리는 매달 만났고 매번 만날 때마다 시간이 아까웠다. 빨리 만나기 위해 식당 오픈런은 기본이고 카페에 죽치고 앉아 커피 두 잔씩 마시고 케이크도 먹어가며 그간 못했던 시간을 보상이라도 받듯이 한꺼번에 수다를 쏟아낸다.

연락은 안 되었던 시간이었지만 늘 마음 한편에 있었기에 친구를 만나는 그 시간들이 그리고 그 수다가 소중하다.

먼저 연락해 줬던 그때 받아주지 않아서 미안해. 그리고 고마워.

기다리고 있는 꽃

해마다 기다리는 꽃이 있다. 라일락.
할머니와의 추억이 깃든 꽃이고 1년 중 가장 기다리게 되는 시기로 만들어 준 이 꽃이 아직 필 시기가 아님에도 벌써 폈고, 그래서 조금은 이르게 설렌 마음을 갖게 된다.

할머니는 식물을 좋아하고 동물을 사랑했다. 모르는 꽃 이름, 풀이름이 없었고 집에서 키울 수 있는 웬만한 동물은 다 키웠으나 그중에서도 가장 좋아하는 동물은 강아지랑 고양이었다. 없으면 안 되는 존재일 정도였고, 그건 우리 가족 모두가 마찬가지다. 할머니는 치매였음에도 동물에 대한 사랑과 꽃에 대한 즐거움을 놓지 않았기에 정정했던 할머니가 꽃을 가꾸던 그 모습이 아련하고 가슴 저려 했던 기억이 난다.

내가 중학생 때였다. 학교를 마치고 집에 오니 내 방이 꽃향기로 가득 채워져 있었다. 그리고 내 책상에는 할머니가 좋아하던 꽃을 꺾어서 페트병에 넣어 올려두셨다. 분홍색 라일락이었다. 그때 처음으로 꽃이 좋아졌다. 그리고 함박웃음이 절로 지어졌다. "할머니 이 꽃 뭐야?" "라일락이야. 이쁘지? 희배 너 보여주려고 할머니가 가져다 놓은 거야."

이쁜만이 아니다. 20대의 어느 날 낮잠을 자고 일어났더니 조그마한 사이다 페트병에 하얀색 꽃 한 송이가 꽂혀져서 내 옆에 놓여 있었다. "할머니? 이 꽃 너무 이쁘다!" "너 일어나면 보여주려고 가져다 놨지. 이쁘지?"

[나의 라일락]

언제부터인가 할머니에 대한 내 이야기를 글로 쓰겠다는 생각을 했다. 이렇게나 손녀딸에게 이쁜 것만 보여주려 했던 할머니의 사랑을 글로 써서 남기고 싶고, 안타깝고 힘들었던 할머니의 투병기와 나의 간병기 그리고 후회를 쓰고 싶다.

나에게 너무나도 큰 추억을 남겨준 나의 나여사. 할머니 덕분에 나도 꽃이 이쁘다는 것을 알았고, 꽃을 좋아하게 되었어. 이쁜 것만 보여주며 키워줘서 고마워.

[우리는 세트]

자매는 선물이야

어렸을 때 동생과 둘이 노는 모습을 보며 할머니가 종종 이런 말을 했다. "쟤들이 둘이니 망정이지 하나였으면 얼마나 외로웠겠누"라고. 성인이 되어서도 할머니의 똑같은 말을 들을 만큼 우리는 죽이 척척 맞는 자매다.

웬만한 자매들은 옷과 가방 때문에 싸운다는데 우리는 그런 문제로 싸워본 적이 없다. 먼저 옷을 입고 나갔으면 그런가보다, 내가 메려고 했던 가방을 갖고 나가면 그런가보다 하며 말았다. 오히려 그런 일이 있을 때면 그날 저녁의 수다거리가 되었다. 그렇게 수다 떨다가 숨 못 쉬도록 웃으면 지켜보던 할머니는 "큰 거가 작은 애 같고, 작은 거가 큰 거 같누"라며 함께 웃고는 했다.

동생은 나에게 그런 존재다. 언니 같은 존재, 엄마 같은 존재. 나도 인식하지 못하던 나의 아픔을 제일 먼저 알아채고 방법을 찾아준 것도 동생이고 나보다 더 나에 대해 고민해 주는 것도 동생이다.

동생과 함께 찍은 사진을 SNS에 올렸을 때 친구가 이런 댓글을 남겼다. '자매는 선물 같지 않냐?'라고.

맞다. 자매는 선물이다.

[선물]

귀여운 건 못 참지

나와 동생은 귀여운 걸 좋아한다. 귀여운 동물, 귀여운 인형, 귀여운 장난감. 영화도 애니메이션을 좋아하고 동물들은 말해 뭐하나, 그저 사랑하는 것을. 그리고 세상에서 가장 슬픈 TV 프로그램이 동물농장이라고 입을 모아 말하며 시청을 거부한다.

귀여운 것 중에서도 특히 좋아하는 캐릭터가 미니언즈인데, 이 인형을 갖기 위해 맥도날드 해피밀 세트를 나눠 먹으며 골고루 인형을 모았다. 츄파춥스 사탕을 사면 그 안에 미니언즈 인형이 있다고 해서 그걸 또 샀다. 그뿐일까. 배스킨라빈스에서 큰 미니언즈 가방을 준다고 해서 아이스크림을 사 먹기도 했다.

회사에 다닐 때는 컴퓨터 앞에 미니언즈 인형을 세워놓고 일했고, 동생은 회사에서 미니언즈 키보드를 사용하고 있다. 그리고 우리는 서로에게 사진을 보내며 자랑을 한다. 이것 보라고, 나 귀여운 거 가졌다고. 그리고 그 귀여운 것들은 친정집 내 방 책장에 진열되어 있다. 친정에 가서 볼 때마다 뿌듯해하기는 동생도 마찬가지.

취향이 맞으니 인형 사달라고 하면 척척 사주기도 하는 동생이다. 작년에는 펭귄이 귀엽다고 SNS 사진을 서로 주고받으며 키우고 싶다고 했더니 생일 선물로 펭귄 인형을 줬고, 가방이 허전해서 인형 하나 달아야겠다고 했더니 이 키링을 보내줬다.

크게 유별나고 특별한 것 없이 작은 것에 쿵짝을 맞추면서 동생과 보내는 일상들이 나에게는 큰 즐거움이고 행복이다.

선물

3년 전 생일날 용기를 내어 피아노 학원을 등록했다. 초등학교 때 아빠를 조르고 졸라서 5학년 때부터 피아노를 배웠고, 중학교 입학 후 그만두었다. 다만 음악 실기 시험 있을 때만 학원에 등록해서 스파르타로 배운 것이 전부였기에 항상 미련이 남았었다.

두문불출 집에만 있을 때 책 읽는 것 외에 외출을 동반한 취미를 가져야겠다고 생각했고 그것이 피아노 학원 등록으로 이어졌다. 내 생일날 내 생일선물 삼아서 말이다. 집 근처 성인반 수업이 있는 학원을 찾아봤고 지금 다니고 있는 학원으로 결정을 내렸다.

재즈 피아노와 클래식 피아노 중에서 나는 클래식을 선택했고, 기초부터 배우고 싶다고 했다. 그리고 나는 바이엘부터 시작해서 지금은 체르니 40번을 배우는 중이다. 특출나게 잘 치는 것도 아니고 뛰어난 재능이 있는 것도 아니다. 떠듬떠듬 움직이던 손가락이 조금 자유로워졌고, 악보를 볼 줄 알게 된 정도다.

이제 곧 있으면 3년을 꽉 채우게 된다. 집에 있던 건반보다는 피아노로 연습하고 싶어서 피아노를 사려고 할 때, 언니가 이 피아노를 결혼 선물로 해줬다. 뜻밖의 선물이라 놀라면서도 너무 좋아하는 내 모습에 선물해주는 자기가 더 좋다고 말하는 언니.

언니 덕분에 3년 동안 뚱땅뚱땅 피아노 치며 즐거운 시간 보냈어. 앞으로도 그런 시간으로 가득 채울게. 언니가 선물해 준 피아노 처음 보지? 어때? 건반이 참 곱지? 언니, 고마워 항상.

[언니의 결혼 선물]

비를 좋아하게 됐다

운전을 좋아하지만 그중에서도 가장 좋아하는 날은 오늘처럼 비가 오는 날에 운전하는 거다. 태풍이 몰아치는 비가 아닌, 오나 마나 한 부슬비도 아닌 와이퍼가 적당히 그리고 조금은 바쁘게 움직일 정도의 비가 내리는 날에 하는 운전을 좋아한다.

차에는 따뜻한 커피가 있고 스피커에서는 잔잔한 음악이 나오는 비 오는 날. 그리고 그리 급한 일정이 없는 여유로운 그런 날이 오늘이다.

[빗방울]

운전을 시작하기 전에는 비 내리는 날이 참 싫었다. 우산을 챙겨야 하는 거추장스러움, 신발이 젖는 축축함, 다리에 튀는 구정물 그리고 한 손은 우산을 들고 다른 한 손은 가방이 젖지 않도록 챙겨야 하는 번잡스러움. 이런 이유들로 싫었는데 이제는 운전을 하고 다니니 그런 번잡스러움이 없어지게 되고 비를 좋아하게 됐다.

이렇게 비 오는 날 운전을 하면 가끔 엄마 생각이 난다. 초등학교 2학년 때 우산 없이 하교하던 나를 마중 나왔던 엄마 모습이 말이다. 한 손에는 작은 우산을 들고 저 멀리서 걸어오는 엄마를 보며 무척이나 기분 좋아했던 그날이 유독 생각날 때가 있다.

엄마가 지금까지 살아있었다면 비 오는 날 내가 운전하는 차를 타고 내 옆에 있지 않았을까. 엄마는 어떤 모습으로 나이 들어갔을까. 상상도 되지 않는 엄마 모습을 그리다 보면 어느새 초등학교 2학년 때의 그 모습이 보이고는 한다.

우산을 쓰고 나를 보던 엄마 모습이.

아직은 더 같이 있을 수 있어

1kg도 안 되는 작은 몸무게로 견생 4개월 차에 우리 집에 온 꼬마는 솜뭉치 그 자체였다. 머리에 핀을 꽂고 있어서 여자아이인 줄 알았는데 남자였고, 패드에 쉬하는 멋진 모습을 보여줬던 솜뭉치가 어느새 17살이 되었다.

등은 디스크로 굳어졌고 관절도 약해졌으며 암 덩어리를 고관절에 달고 있다. 작년과 재작년에 암 제거 수술을 한 번씩 했지만 완치 목적이 아닌, 암을 떼어내어 꼬마가 생활하는 데 큰 불편함이 없도록 해주는 게 목적이었다. 그리고 나는 올해 꼬마의 세 번째 수술을 기다리고 있었다. 두 번 수술 했기 때문에 세 번째도 가능할 줄 알았지만 그렇지 못했다.

신장 기능이 많이 떨어진 상태에서는 수술을 할 수 없다고 한다. 위험하기 때문에 안 하는 걸 권한다고. 다행인 건 꼬마가 노견이기 때문에 암의 진행 속도가 느리다는 거다.

이 소식을 전화로 들었는데 병원과의 통화를 끝낸 후 내가 무엇을 해야 하는지 생각해 봤다. 꼬마가 지금의 내 감정을 모르게 하는 것이 우선이라 생각했다. 내가 슬퍼하면서 꼬마를 대하면 꼬마는 안다. 아니, 모든 동물이 그렇다. 사람의 감정을 동물들은 그대로 흡수한다. 그래서 울게 되더라도 몰래, 슬퍼지더라도 혼자 있을 때만 해야 하는 것이 내 몫이라 여겼다.

요즘 들어 꼬마를 볼 때마다 불현듯 떠나는 건 아닐까 하는 생각을 한다. 같이 자면서도 한 번 더 만져보게 되고, 한 번 쳐다보면 두 번 더 보려고 하고. 사진으로 남기려고 하고.

그렇지만 아직은 더 함께 할 수 있다는 것도 안다. 애미인 내가 더 단단해지기만 하면 된다.

[내 목숨]

성당

[팝콘이 팡팡]

이사를 하면서 성당이 바뀌니 이런 사진도 찍게 된다. 서울에서 지냈을 때는 성당 안의 꽃나무에 시선을 주지 않았다. 그저 미사 드리러 성전 들어가기 바빴는데 경기도로 이사를 하니 이런 꽃나무를 볼 여유가 생긴다.

그도 그럴 것이 집에서 성당까지 거리가 좀 되다 보니 부지런히 성당에 가게 된다. 그렇게 도착하니 여유시간이 생기고 주변을 둘러보게 됐다. 성당 입구에서 건물까지 온통 벚꽃잎으로 가득하니 자연스럽게 벚꽃나무에 눈이 갈 수밖에.

집에서 성당까지 가는 길에도 벚꽃이 많이 있었고, 튤립도 있었는데, 성당에서도 이쁜 꽃길을 보게 될 줄이야.

여름의 푸르스름한 성당의 모습마저 기대된다. 그때는 또 얼마나 이쁠지.

지금이 좋다

이런 날씨를 좋아한다. 나무가 보이고, 집으로 햇살이 들어오는 이런 날을 좋아한다.

한참을 모니터만 보고 있다가도 밖을 한 번 쳐다보면 마음이 차분해진다. 이런 거 1층만이 갖는 특권 아닐까? 2층만 되었어도 저 나무들이 보이지 않았을 텐데. 나무의 푸르름과 화창한 햇살, 집안으로 스며드는 따스함은 세트니까 말이다. 여기에서 하나만 빠져도 그것은 아쉬움이 되지 않았을까.

내가 있는 이 자리. 이 자리에서의 내 모습을 좋아한다. 과거보다 현재가 좋고, 미래의 기대보다 현재의 설렘이 좋다. 못난 생각을 했던 과거 나보다는 현재의 내 모습에 충실한 지금이 좋다.

나의 못남과 남을 비교하던 과거보다는 현재를 살아내고 있는 지금의 내가 좋다.
나는 언제나 지금이 좋다.

[내 자리]

169

손유진이 본 일상애(愛)say

이 책을 기획하는 단계부터 가슴이 뛰기 시작했다.
작가님들의 일상을 엿볼 수 있다는 생각에서였나보다.

일상을 사랑하는 마음으로 두 달을 기록해보자고 했다. 역시 예상대로
작가들의 일상은 사랑스럽다.

매일 반복되는 것 같지만, 그 속에는 각자의 고유한 이야기가 담겨 있
었다. 하루의 시작을 알리는 햇살을 사랑하는 작가, 소중한 사람들과
의 대화를 즐기는 작가, 책 속에서 위안을 찾는 작가, 아이들의 웃음
소리에 행복을 느끼는 작가, 그리고 자신만의 취미에 몰두하는 작가.
모두가 자신의 일상을 소중히 여기며, 그 순간들을 사랑으로 기록했
다.

작가님들의 글과 사진을 보며, 나 역시 일상의 소중함을 다시금 깨닫
게 되었다. 우리는 때때로 바쁜 일상 속에서 작은 기쁨과 감동을 놓치
곤 한다. 그러나 이 책을 통해 일상을 사랑하는 마음을 다시금 일깨워
주었다. 사랑하는 사람들과의 대화, 좋아하는 책을 읽는 시간, 아이들
의 웃음소리, 그리고 나만의 시간을 보내는 순간들이 얼마나 소중한지
다시 한번 느낄 수 있었다.

작가님들의 이야기를 읽으며, 나는 그들의 일상 속으로 여행을 떠난 듯한 기분이 들었다. 그들의 일상을 통해 나의 일상을 돌아보고, 소중한 순간들을 마음속에 새기게 되었다.

일상의 작은 순간들이 모여 우리의 삶을 더욱 풍요롭게 만든다는 것을 알아차리는 시간들이다.

여러분도 자신의 일상을 사랑의 눈으로 바라보게 되기를 바란다. 바쁜 하루 속에서도 잠시 멈춰서, 소중한 순간들을 느끼고, 그 순간들을 마음에 새겨보자.

우리의 삶은 이러한 작은 순간들이 모여 이루어진다는 것을 잊지 말자. 일상을 사랑하는 마음으로 앞으로의 날들도 소중히 살아가기를 바란다.

감사합니다.

2024년 봄과 여름사이,
일책성장 리더 손유진